MAGISTERIUM

**Obras das autoras lançadas pela Galera Record:**

### Série Magisterium
*O desafio de ferro*
*A luva de cobre*
*A chave de bronze*
*A máscara de prata*
*A torre de ouro*

### Holly Black
### Série O Povo do Ar
*O príncipe cruel*
*O rei perverso*
*A rainha do nada*

*O canto mais escuro da floresta*
*Como o Rei de Elfhame aprendeu a odiar histórias*

*Zumbis x Unicórnios*

### Cassandra Clare
### Série Os Instrumentos Mortais
*Cidade dos ossos*
*Cidade das cinzas*
*Cidade de vidro*
*Cidade dos anjos caídos*
*Cidade das almas perdidas*
*Cidade do fogo celestial*

### Série As Peças Infernais
*Anjo mecânico*
*Príncipe mecânico*
*Princesa mecânica*

### Série Os Artifícios das Trevas
*Dama da meia-noite*
*Senhor das sombras*
*Rainha do ar e da escuridão*

### Série As Últimas Horas
*Corrente de ouro*

### Série As Maldições Ancestrais
*Os pergaminhos vermelhos da magia*
*O livro branco perdido*

*O Códex dos caçadores de sombras*
*As Crônicas de Bane*
*Uma história de notáveis Caçadores de Sombras e Seres do Submundo:*
*Contos da Academia dos Caçadores de Sombras*
*Fantasmas do Mercado das Sombras*

# MAGISTERIUM

LIVRO 4

*Tradução*
Rita Sussekind

5ª edição

GALERA
junior
RIO DE JANEIRO
2024

CIP-BRASIL. CATALOGAÇÃO NA PUBLICAÇÃO
SINDICATO NACIONAL DOS EDITORES DE LIVROS, RJ

C541m
5. ed.
Clare, Cassandra, 1973-
A máscara de prata / Cassandra Clare, Holly Black ; tradução Rita Sussekind. – 5. ed. – Rio de Janeiro : Galera Record, 2024.
(Magisterium; 4)

Tradução de: The silver mask
Sequência de: A chave de bronze
Continua com: A torre de ouro
ISBN 978-65-5981-029-1

1. Ficção. 2. Literatura infantojuvenil americana. I. Black, Holly. II. Sussekind, Rita. III. Título. IV. Série

21-71900
CDD: 808.899282
CDU: 82-93(73)

Camila Donis Hartmann - Bibliotecária - CRB-7/6472

Título original:
*The Silver Mask*

Copyright © 2017 by Holly Black and Cassandra Claire LLC

Publicado mediante acordo com as autoras e Baror International, INC., Armonk, New York, USA.

Todos os direitos reservados.
Proibida a reprodução, no todo ou em parte, através de quaisquer meios.
Os direitos morais do autor foram assegurados.

Texto revisado segundo o novo Acordo Ortográfico da Língua Portuguesa.

Editoração eletrônica: Abreu's System

Direitos exclusivos de publicação em língua portuguesa somente para o Brasil adquiridos pela
EDITORA RECORD LTDA.
Rua Argentina, 171 – Rio de Janeiro, RJ – 20921-380 – Tel.: (21) 2585-2000, que se reserva a propriedade literária desta tradução.

Impresso no Brasil

ISBN 978-65-5981-029-1

Seja um leitor preferencial Record.
Cadastre-se e receba informações sobre nossos lançamentos e nossas promoções.

Atendimento e venda direta ao leitor:
sac@record.com.br

Para Elias Delos Churchill,
que pode ser o gêmeo do mal.

↑≈△○@

# CAPÍTULO UM

A prisão não era como Call havia imaginado.
Ele crescera assistindo a programas sobre crimes na televisão, então acreditava que deveria ter um colega de cela mal-humorado, que mostrasse a ele como as coisas funcionavam e como ficar bombado levantando peso. Call deveria detestar a comida e não provocar ninguém, tendo em mente que poderia ser agredido com uma faca artesanal feita a partir de uma escova de dentes.

Só que, no fim das contas, a única coisa que o presídio mágico tinha em comum com o da televisão era o fato de que o protagonista fora acusado de um crime que não cometera.

Nas manhãs, era acordado quando as luzes fracas do Panóptico se tornavam absurdamente intensas. Piscando e bocejando, ele observava os outros prisioneiros (parecia haver cerca de cinquenta) enquanto saíam de suas celas. Eles seguiam caminho, provavelmente para o café da manhã, mas a bandeja de Call era entregue na porta por dois guardas, um dos quais fazia uma careta. O outro parecia intimidado.

Call, que tinha ficado entediado ao longo dos últimos seis meses, devolveu a careta só para ver o guarda assustado parecer ainda mais assustado.

Nenhum deles o via como um menino de 15 anos, um garoto. Todos pensavam nele como o Inimigo da Morte.

Em todo o tempo que esteve ali, ninguém foi visitá-lo. Nem seu pai. Nem seus amigos. Call tentava se enganar, dizendo que eles não podiam, mas isso também não o reconfortava; provavelmente estavam bastante encrencados. Provavelmente desejavam nunca ter ouvido falar em Callum Hunt.

Call terminou de comer parte da gororoba na bandeja, depois escovou os dentes para tirar o gosto da boca. Os guardas voltaram — era hora do interrogatório.

Todos os dias, ele era levado a uma sala de paredes brancas e sem janelas onde três membros da Assembleia o interrogavam duramente sobre sua vida. Era a única interrupção da monotonia de seu dia.

*Qual é sua primeira lembrança?*

*Quando percebeu que era mau?*

*Sei que você diz que não consegue se lembrar de nada sobre ser Constantine Madden, mas e se tentar com mais afinco?*

*Quantas vezes você se encontrou com Mestre Joseph? O que ele falou para você? Onde fica sua fortaleza? Quais são seus planos?*

Qualquer que fosse a resposta, eles revisavam tudo minuciosamente até o próprio Call ficar confuso. O acusavam de mentir com frequência.

Às vezes, quando ficava cansado e entediado, sentia-se tentado a mentir, porque o que eles queriam ouvir era muito óbvio, e parecia que seria mais fácil dizer o que queriam. Mas ele não mentia, porque sua lista de Suserano do Mal estava de volta à ativa e ele estava se dando pontos para tudo o que fazia que parecesse coisa de Suserano do Mal. Mentir definitivamente contava.

Era fácil acumular pontos de Suserano do Mal na prisão.

Seus interrogadores falavam muito sobre o charme avassalador do Inimigo da Morte e sobre como Call não deveria ter permissão para falar com nenhum prisioneiro, por conta do risco de seduzi-los com seus estratagemas maléficos.

O garoto poderia ter achado isso lisonjeiro se não estivesse tão óbvio que seus interrogadores acreditavam que ele escondia deliberadamente esse aspecto da própria personalidade. Se Constantine Madden tinha um carisma avassalador, eles achavam que Call demonstrava exatamente o oposto. Não ficavam ansiosos em vê-lo; e isso era recíproco.

Naquele dia, no entanto, Call teve uma surpresa. Quando entrou para ser interrogado, não encontrou as pessoas de sempre. Em vez disso, do outro lado da mesa branca, viu seu antigo professor, Mestre Rufus, vestido de preto, a careca negra reluzindo sob as luzes excessivamente claras.

Call não encontrava nenhum conhecido havia muito tempo. Teve vontade de pular sobre a mesa e abraçar Mestre Rufus, apesar do fato de que o Mestre o encarava com uma expressão aborrecida, e de que ele não era muito de abraços.

Call sentou-se na cadeira em frente ao professor. Não podia nem acenar ou oferecer a mão para um cumprimento, considerando que seus punhos estavam amarrados para a frente por uma corrente brilhante de metal incrivelmente duro.

Call pigarreou.

— Como está Tamara? — perguntou. — Bem?

Mestre Rufus olhou para ele por um longo tempo.

— Não sei se devo contar — respondeu, afinal. — Não sei ao certo quem você é, Call.

O garoto sentiu uma dor no peito.

— Tamara é minha melhor amiga. Quero saber como ela está. E Devastação. E até Jasper.

Era estranho não citar Aaron também. Apesar de saber que ele estava morto, apesar de ter repassado as circunstâncias de sua morte repetidas vezes, Call ainda sentia sua falta de um jeito que o tornava mais presente que ausente.

Mestre Rufus apoiou o queixo nos dedos.

— Quero acreditar em você — assegurou. — Mas você mentiu para mim por muito tempo.

— Eu não tive escolha! — protestou Call.

— Teve. Poderia ter me contado a qualquer instante que Constantine Madden vivia dentro de você. Há quanto tempo sabia? Você me manipulou para escolhê-lo como aprendiz?

— No Julgamento de Ferro? — Call não conseguia acreditar. — Eu não sabia de nada naquele momento! Tentei fracassar... eu nem *queria* ir para o Magisterium.

Mestre Rufus ainda parecia cético.

— Foi o fato de tentar fracassar que me chamou a atenção. Constantine saberia disso. Ele saberia como me manipular.

— Não sou ele — disse Call. — Posso ter sua alma, mas não sou ele.

— Vamos torcer para que seja verdade, para seu próprio bem — ameaçou Rufus.

De repente, Call sentiu-se exausto.

— Por que você veio? — perguntou ao professor. — Por que você me odeia?

Isso pareceu fazer Mestre Rufus recuar por um momento.

— Não odeio você — respondeu ele, com mais tristeza que raiva. — Passei a gostar de Callum Hunt... bastante. Mas, outrora, também gostei de Constantine Madden... e ele quase destruiu a todos nós. Talvez seja por isso que vim: para ver se posso confiar em meu próprio juízo de caráter... ou se cometi o mesmo erro duas vezes.

Mestre Rufus parecia tão cansado quanto Call.

— Eles já acabaram os interrogatórios — prosseguiu. — Agora precisam decidir o que fazer com você. Eu pretendia falar na audiência, relatar o que você acabou de me dizer, que pode ter a alma de Constantine, mas que não é ele. Antes eu precisava ver com meus próprios olhos para crer.

— E?

— Ele era muito mais charmoso que você.

— É o que todos dizem — murmurou o garoto.

Mestre Rufus hesitou.

— Você quer sair da prisão?

— Não sei — respondeu Call, após considerar. — Eu... permiti que Aaron fosse morto. Talvez mereça estar aqui. Talvez eu deva ficar.

Após essa admissão, fez-se um silêncio muito, muito longo. Mestre Rufus se levantou.

— Constantine amava o irmão — declarou. — Mas jamais diria que merecia ser punido por sua morte. Era sempre culpa dos outros.

Call não disse nada.

— Segredos machucam quem os guarda mais do que você imagina. Eu sempre soube que tinha segredos, Callum, e torci para que os revelasse para mim. Se fizesse isso, talvez as coisas tivessem sido diferentes.

Call fechou os olhos, temendo que Mestre Rufus estivesse certo. Ele guardou segredos e fez com que Aaron, Tamara e Jasper os guardassem também. Se ao menos tivesse procurado Mestre Rufus. Se ao menos tivesse procurado alguém, talvez as coisas pudessem ter tido outro desfecho.

— Sei que ainda guarda alguns — continuou Mestre Rufus, surpreendendo Call o suficiente para que o menino levantasse os olhos.

— Então, você também acha que estou mentindo? — indagou Call.

— Não. Mas esta pode ser sua última chance de se libertar do fardo. E pode ser a minha última de ajudá-lo.

Call pensou em Anastasia Tarquin e em como havia se revelado mãe de Constantine. Na época, ele não soube o que pensar.

Estava revoltado com a morte de Aaron, revoltado por se achar traído por todos em quem acreditara.

Mas de que adiantaria falar isso para Mestre Rufus? Não ajudaria em nada. Apenas machucaria mais alguém, mais uma pessoa que confiou nele.

— Quero lhe contar uma história — disse o professor. — Certa vez, houve um mago, um homem que gostava muito de ensinar e de compartilhar seu amor pela magia. Ele acreditava em seus alunos e em si mesmo. Quando uma grande tragédia abalou essa crença, ele percebeu que estava sozinho, que havia dedicado toda a vida ao Magisterium e que, fora dele, esta era vazia.

Call piscou os olhos. Estava quase certo de que essa história era sobre o próprio Mestre Rufus, e tinha que admitir que jamais havia pensado no professor como alguém com uma vida fora do Magisterium. Nunca pensou nele tendo amigos, uma família ou alguém que o visitasse nas férias, ou a quem alertasse sobre perigos.

— Pode simplesmente dizer que essa história é sobre você — afirmou Call. — Ainda terá efeito emocional.

Mestre Rufus o encarou.

— Tudo bem — concordou ele. — Foi após a Terceira Guerra dos Magos que encarei a solidão da vida que escolhera para mim. E quis o destino que eu me apaixonasse logo depois; em uma biblioteca, pesquisando documentos antigos. — Ele sorriu timidamente. — Mas ele não era mago. Não sabia nada sobre o mundo secreto da magia. E eu não podia contar. Teria violado todas as regras se tivesse dito qualquer coisa sobre o funcionamento de nosso mundo, e ele teria me achado louco. Então, eu disse que trabalhava no exterior e voltava para casa nas férias. Nós nos falávamos com frequência, mas, essencialmente, eu estava mentindo para ele. Eu não queria mentir, mas mentia.

— Essa não é uma história sobre como é melhor guardar segredos? — argumentou Call.

As sobrancelhas de Mestre Rufus fizeram mais um de seus movimentos improváveis, abaixando-se em um arco realmente impressionante.

— É uma história que pretende demonstrar que eu entendo como é guardar segredos. Entendo como eles protegem as pessoas, e como podem machucar quem os guarda. Call, se existe algo a ser contado, conte, e farei o possível para ajudá-lo.

— Não tenho segredos — disse Call. — Não mais.

Mestre Rufus meneou a cabeça e depois suspirou.

— Tamara está bem — revelou ele a Call. — As aulas sem você e Aaron são solitárias, mas ela está seguindo. Devastação sente sua falta, obviamente. Quanto a Jasper, não sei dizer. Ele fez coisas estranhas com o cabelo ultimamente, mas podem não ter relação com você.

— Certo — comentou Call, um pouco espantado. — Obrigado.

— Quanto a Aaron — continuou Mestre Rufus —, ele foi enterrado com toda a pompa digna de um Makar. Seu funeral contou com a presença de toda a Assembleia e todo o Magisterium.

Call fez assentiu e olhou para o chão. *O enterro de Aaron*. Ouvir Mestre Rufus dizer essas palavras fez com que se tornasse mais real. Esse sempre seria o fator central de sua vida: se não fosse por ele, o melhor amigo ainda estaria vivo.

Mestre Rufus foi até a porta para se retirar, mas parou no meio do caminho, só por um segundo. Quando apoiou a mão na cabeça de Call, o garoto sentiu um aperto na garganta que o surpreendeu.

Quando Call foi escoltado de volta à cela, teve a segunda surpresa do dia. Seu pai, Alastair, estava do lado de fora, esperando por ele.

Alastair fez um breve aceno, e Call mexeu as mãos algemadas. Precisou piscar bastante os olhos, ou o charme devastadoramente pérfido do Inimigo da Morte se dissolveria em lágrimas.

Os guardas de Call o levaram para a cela e o desalgemaram. Eram magos mais velhos, vestidos com o uniforme marrom-escuro do Panóptico. Após soltarem suas mãos, prenderam uma das extremidades de uma algema de metal em sua perna, e a outra em um gancho na parede. A corrente era longa o bastante para que o menino pudesse circular pela cela, mas não o suficiente para que alcançasse as grades ou a porta.

Os guardas saíram da cela, trancaram-na e regressaram às sombras. Mas Call sabia que ainda estavam ali. Aquele era o objetivo do Panóptico: sempre havia alguém de olho.

— Você está bem? — perguntou Alastair com a voz rouca, assim que os guardas saíram. — Eles não te machucaram?

Ele parecia querer pegar o filho no colo e vistoriar seu corpo em busca de ferimentos, como fazia quando o garoto caía de um balanço ou batia de skate em uma árvore.

Call balançou a cabeça.

— Não tentaram me machucar fisicamente nenhuma vez — assegurou ele.

Alastair assentiu. Seus olhos pareciam fundos e cansados por trás dos óculos.

— Eu teria vindo antes — explicou, endireitando-se na cadeira de metal de aparência desconfortável que os guardas tinham colocado do outro lado das grades —, mas não estavam permitindo visitas.

A onda de alívio que Call sentiu foi incrível. De algum jeito, ele conseguira se convencer de que o pai estava feliz com sua prisão. Ou talvez não *feliz*, porém melhor sem ele.

Call ficou muito feliz por isso não ser verdade.

— Tentei de tudo — disse Alastair ao filho.

O menino não sabia como responder. Não havia como dizer quanto lamentava. Também não entendia por que, de repente, passara a poder receber visitas... a não ser que tivesse deixado de ser útil à Assembleia.

Talvez aquelas fossem as últimas visitas que ele receberia na vida.

— Vi Mestre Rufus hoje — revelou ao pai. — Ele disse que os interrogatórios tinham acabado. Isso quer dizer que vão me matar?

Alastair pareceu chocado.

— Não podem fazer isso. Você não fez nada de errado.

— Eles acham que eu matei Aaron! — rebateu Call. — Estou preso! Obviamente acham que eu fiz alguma coisa errada.

*E eu fiz coisa errada*, acrescentou mentalmente. Ainda que tivesse sido Alex Strike quem de fato matou Aaron, ele morreu por ter guardado o segredo de Call.

Alastair balançou a cabeça, descartando as palavras do filho.

— Eles têm medo... medo de Constantine, medo de você... então, estão procurando uma desculpa para manterem você aqui. Não acreditam de fato que tenha sido responsável pela morte de Aaron. — Alastair suspirou. — E, se isso não o conforta, pense: uma vez que eles não entendem como Constantine transferiu a alma para você, tenho certeza de que não querem correr o risco de que a transfira para outra pessoa.

O pai detestava o mundo mágico e não era muito otimista, mas, nesse caso, a aspereza em seu tom fez com que Call se sentisse melhor. Ele definitivamente tinha um bom argumento. Jamais sequer ocorreu a Call transferir sua alma para alguém, ou que os magos pudessem se preocupar com isso.

— Então, vão me manter aqui trancado — disse Call. — E depois vão jogar a chave fora e se esquecer de mim.

Alastair ficou em silêncio por um longo tempo depois disso, o que foi bem menos reconfortante.

— Quando você soube? — perguntou Call, temendo que o silêncio pudesse se alastrar ainda mais.

— Soube o quê?

— Que eu não sou seu filho de verdade.

Alastair fez uma careta.

— Você é meu filho, Callum.

— Você entendeu — retrucou o menino, com um suspiro... embora não pudesse negar que ter sido corrigido o fez se sentir melhor. — Quando você percebeu que eu tinha a alma dele?

— Cedo — respondeu Alastair, surpreendendo Call um pouco. — Eu acho. Eu sabia o que Constantine estava estudando. Parecia possível que ele obtivesse sucesso em transferir a alma para seu corpo.

Callum se lembrou da mensagem derradeira que sua mãe deixara para Alastair, a que Mestre Joseph, instrutor do Inimigo da Morte e seu capanga mais devoto, tinha mostrado a ele, mas que seu pai havia excluído da história:

MATE A CRIANÇA.

Seu corpo ainda gelava ao pensar na mãe escrevendo isso com as últimas forças, no pai lendo aquelas palavras, com um bebê chorando — Call — em seus braços.

Alastair poderia ter simplesmente saído da caverna se tivesse entendido o que aquilo significava. O frio teria se encarregado do resto.

— Por que fez isso? Por que me salvou?

Callum não pretendia que as palavras tivessem soado tão furiosas, mas foi o que aconteceu. Ele *estava* com raiva, apesar de saber que a alternativa seria sua morte.

— Você é meu filho — respondeu Alastair mais uma vez, desamparado. — Independentemente de qualquer outra coisa que seja, você também é meu filho. Almas são maleáveis, Call. Não são imutáveis. Pensei que, se eu o criasse corretamente... se te desse bons conselhos... se o amasse o suficiente, você ficaria bem.

— E veja no que deu — argumentou Call.

Antes que o pai pudesse responder, um guarda surgiu na frente da cela para anunciar que o horário de visitas havia acabado.

Alastair se levantou e, então, com a voz baixa, disse novamente:

— Não sei se fiz alguma coisa certa, Call. Mas, se serve de consolo, acho que você se saiu muito bem.

Com isso, ele se retirou, acompanhado por outro guarda.

↑≈△○@

Call dormiu melhor naquela noite que em todas as demais que havia passado no Panóptico. A cama era estreita, com um colchão duro; e a cela, fria. À noite, quando fechava os olhos e adormecia, o sonho era recorrente: o raio mágico atingindo Aaron. Seu corpo navegando pelo ar antes de atingir o chão. Tamara se agachando sobre Aaron, chorando. E uma voz dizendo *a culpa é sua; a culpa é sua*.

Mas, naquela noite, ele não sonhou, e, quando acordou, havia um guarda do lado de fora da cela, segurando sua bandeja de café da manhã.

— Você tem outra visita — anunciou o homem, olhando-o de esguelha.

Call tinha quase certeza de que os guardas ainda estavam esperando que ele os assolasse com aquele carisma. Ele se sentou.

— Quem é?

O homem deu de ombros.

— Uma pessoa que estuda em sua escola.

O coração de Call começou a acelerar. Era Tamara. Tinha que ser Tamara. Quem mais o visitaria?

Ele mal notou o guarda entregando a bandeja pela abertura estreita embaixo da porta. Estava ocupado demais endireitando a postura e passando os dedos pelos cabelos emaranhados, tentando se acalmar e pensar no que dizer para ela quando entrasse.

*Oi, como você está, sinto muito por ter deixado seu melhor amigo morrer...*

A porta se abriu, e a visita entrou, caminhando entre dois guardas. Era mesmo alguém que estudava no Magisterium, isso era verdade.

Mas não era Tamara.

— Jasper? — perguntou Call, incrédulo.

— Eu sei. — Jasper ergueu as mãos para conter os agradecimentos. — Você obviamente está chocado com minha gentileza em vir até aqui.

— Hum. — Foi a resposta de Call.

Mestre Rufus tinha razão quanto a Jasper: parecia que ele não penteava o cabelo havia anos. Estava espetado em todas as direções. Call encarou Jasper. Será que ele realmente tinha se esforçado para deixá-lo assim? De propósito?

— Presumo que você tenha vindo me dizer quanto a escola inteira me detesta.

— Eles não se importam tanto com você — disse Jasper, evidentemente mentindo. — Você não causou tanta impressão assim. Na verdade, estão todos tristes por Aaron. Pensavam em você como seu assistente, sabe? Como parte do cenário.

*Pensam em você como seu assassino.* Era isso que Jasper queria dizer, ainda que não verbalizasse.

Depois disso, Call não conseguiu perguntar por Tamara.

— Você se encrencou muito? — Foi o que perguntou no fim das contas. — Quero dizer, por minha causa.

Jasper esfregou as mãos no jeans de marca.

— Basicamente queriam saber se você tinha nos enfeitiçado para nos manter em servidão maligna. Eu disse que você não é um mago suficientemente bom para isso.

— Obrigado — agradeceu Call, sem saber ao certo se estava sendo sincero ou não.

— Então, como é a vida no velho Panóptico? — perguntou Jasper, olhando em volta. — Parece muito, hum, estéril aqui. Conheceu algum criminoso de verdade? Fez uma tatuagem?

— Jura? — exigiu Call. — Jura que você veio até aqui para saber se eu fiz uma tatuagem?

— Não — respondeu o menino, deixando as desculpas de lado. — Na verdade vim porque... bem... Celia terminou comigo.

— Oi? Não acredito.

— Eu sei! Também não! — Jasper se sentou na cadeira desconfortável dos visitantes. — Éramos perfeitos juntos.

Call desejou conseguir alcançar Jasper para poder estrangulá-lo.

— Eu quis dizer que não estou acreditando que você passou por seis pontos de verificação e uma revista potencialmente constrangedora só para vir até aqui reclamar de sua vida amorosa!

— Você é o único com quem posso conversar, Call.

— Porque estou preso por essa corrente e não posso sair?

— Exatamente. — Jasper pareceu gostar. — Todo mundo foge quando me vê. Mas eles não entendem. Preciso recuperar Celia.

— Jasper — começou Call. — Me diga uma coisa e, por favor, seja honesto.

O garoto assentiu.

— Isso é mais uma estratégia de tortura da Assembleia até eu liberar informações?

No exato momento em que essas palavras foram ditas, um fio fino de fumaça se ergueu do térreo, seguido pelo estalo de chamas. Ao longe, um alarme começou a soar.

O Panóptico estava pegando fogo.

# CAPÍTULO DOIS

Os dois guardas que trouxeram Jasper para a cela de Call agora conversam um com o outro aos sussurros. Do outro lado da prisão, começaram gritos que depois cessaram de forma abrupta.

— Acho melhor eu ir nessa. — Parecendo ansioso, Jasper se levantou e olhou ao redor.

— Não! — disse rispidamente um dos guardas. — Isto é uma emergência. Nenhum visitante circula sozinho. Para sua própria segurança, você terá que nos seguir enquanto escoltamos o prisioneiro para um veículo de evacuação.

— Você quer que eu fique perto do Inimigo da Morte enquanto ele está fora da cela? — perguntou Jasper, como se tivesse algo com que se preocupar. — Como é que *isso* pode ser seguro?

Call revirou os olhos.

Um dos guardas desativou uma parte da parede elementar e entrou na cela de Call, prendendo-o com algemas novas.

— Vamos — chamou o guarda. — Você caminha entre nós, e o aprendiz vai na frente.

Call parou onde estava.

— Há algo de errado — declarou ele.

— O presídio está pegando fogo — disse Jasper, olhando atrás de si. — Eu diria que algo está errado, sim.

— Há semanas que ouço um bando de magos falando sobre quanto este lugar é invulnerável — prosseguiu Call. — Como nada pode invadir ou destruir esta estrutura. Não deveria estar pegando fogo.

Os guardas pareciam cada vez mais nervosos.

— Fique quieto e venha — exigiu um deles, puxando o garoto pelo braço.

— "O fogo quer queimar"— anunciou Jasper, olhando fixamente para Call.

Ele estava citando o poema, as cinco linhas de texto que descreviam a magia elementar. Os guardas o encararam. Provavelmente se lembraram dos tempos de escola.

O ar se tornava mais quente do lado de fora da cela. A essa altura, as pessoas corriam pelos corredores, gritando. Todas as outras celas foram esvaziadas, e os prisioneiros marchavam em fila para as saídas.

— Eu sei disso — disse Call. — Mas este lugar não deveria queimar.

— Fomos alertados sobre sua lábia — comentou um dos guardas, empurrando o prisioneiro para a sua frente. — Cale a boca e ande.

Pedaços de pedra e metal derretido começavam a cair do telhado. Nesse ponto, Call decidiu parar de se preocupar com o motivo e começou a se preocupar em escapar vivo. Call, Jasper e os dois guardas se apressaram pelo corredor, que estava ficando cada vez mais quente. Call continuou aos tropeços, a perna ruim lançando dores terríveis pelo corpo. Ele não andava tanto assim havia meses.

Ouviu-se uma batida. À frente, parte do chão se desintegrava em um chafariz de cinzas e pedaços de pedra incandescente. Call observou aquilo e soube que estava certo; não era um incêndio normal.

Apenas torceu para sobreviver e poder dizer *eu avisei*.

Os guardas o soltaram. Por um instante, Call pensou que fossem tentar uma rota alternativa pelo presídio, mas, em vez disso, ambos correram, quase derrubando Jasper. Saltaram sobre o chão que desmoronou totalmente, aterrissando em segurança do outro lado. Eles se levantaram e se limparam.

— Ei! — gritou Jasper, parecendo incrédulo. — Não podem simplesmente nos largar aqui!

Um dos guardas pareceu envergonhado. O outro apenas os encarou.

— Meus pais morreram no Massacre Gelado — disse ele. — Por mim, você pode morrer queimado, Constantine Madden.

Call se encolheu.

— Mas e eu? — gritou Jasper, enquanto os guardas se afastavam. — Eu não sou o Inimigo da Morte!

Mas eles tinham desaparecido. Jasper girou, tossindo. E olhou de maneira acusatória para Call.

— A culpa é toda sua — acusou ele.

— É bom vê-lo encarando a morte corajosamente, Jasper.

O lado bom de sua presença, pensou Call, era que Jasper jamais o fazia se sentir culpado, mesmo quando provavelmente deveria. Era impossível não acreditar que Jasper merecia tudo que lhe acontecia.

— Use sua mágica do caos! — Jasper tossiu. O ar estava denso de fumaça e fuligem. — Devore as paredes ou o fogo ou alguma coisa!

Call estendeu as mãos. Os punhos estavam acorrentados. Um mago de seu nível não conseguia fazer mágica sem as mãos.

Jasper murmurou um xingamento e girou, esticando o braço direito. O ar diante de si pareceu vibrar e, em seguida, solidificar. Uma ponte se ergueu sobre a parte ruída do chão, brilhando no ar.

Call não parou para se maravilhar com o fato de que Jasper tinha feito alguma coisa útil; não apenas útil, mas impressionante. Ele correu tão rápido quanto a perna permitia, reservando o direito de ficar impressionado mais tarde.

Nem Call nem Jasper sabiam ao certo onde ficava a saída, mas o fogo havia reduzido as opções. Correram pelo caminho desobstruído. Call cerrou os dentes por causa da dor e tentou ao máximo não tropeçar. O ar estava quente o bastante para que até abrir a boca e falar doesse.

Eles chegaram a uma porta aberta que parecia pesada, mágica e quase impossível de ser atravessada a tempo, caso estivesse fechada. Com alívio, eles atravessaram. Jasper derrubou o bloqueio, fechando a porta ao passar, e obtendo um pouquinho de alívio do calor e da fumaça.

Call arfava, as mãos nos joelhos. Pareciam estar em uma das passagens de fundos do Panóptico. Dava para sentir o cheiro de água sanitária e sabão em pó misturado à fumaça e ao fogo. Corredores se abriam em todas as direções, e não havia janelas. Um enorme pilar de fogo se formou de repente no corredor à frente.

Jasper cambaleou para trás e gritou.

Era o fim. Morreriam queimados, presos no corredor entre as chamas. Call se lembrou de ter navegado por um labirinto de fogo no ano anterior, lembrou-se de como extraiu do caos para esgotar todo o ar da sala; um ato desesperado que funcionou para apagar o fogo, mas que também acabou com todo o oxigênio que precisavam para respirar. Sem a intervenção de Aaron, teriam morrido.

Call desejou ter sua magia naquele instante, mesmo que se lembrasse do mau uso que havia feito dela.

*O fogo quer queimar. A água quer correr. O ar quer levitar. A terra quer unir. O caos quer devorar.*

E a linha do poema que ele tinha acrescentado, só para fazer graça:

*Call quer viver.*

A ideia o assombrava. Ele puxou suas amarras, mas estavam firmes como nunca, sua mágica fora de alcance. O fogo diante de si se desenrolava, como uma cobra, cada vez mais alto, espalhando-se da parte superior feito o capelo de uma naja.

Então um rosto se formou em meio ao fogo — um rosto familiar. O rosto de uma garota, feito totalmente de chamas.

— Makar — disse a irmã de Tamara, Ravan.

Ravan fora consumida pelo elemento que ali presenciavam, e continuava vivendo como uma Devorada do Fogo, um elementar com a alma de uma pessoa. Ou uma pessoa com uma alma de elemento. Call uma vez invadiu uma prisão de elementares com Aaron e Tamara, onde viu os Devorados do Ar, do Fogo, da Terra e da Água. Até onde sabia, jamais existira um Devorado do Caos. A ideia era aterrorizante.

— Não há tempo a perder — instruiu Ravan. — Através do terceiro conjunto de portas à direita encontrarão uma saída.

Seu rosto desapareceu, perdendo-se nas chamas. O fogo mudou de forma e se tornou um arco brilhante e ardente.

— O. Quê. Foi. Isso? — perguntou Jasper.

— Um elementar do fogo — disse Call, sem querer implicar Tamara quando não fazia ideia do que estava se passando. — Eu a conheço. Ela mora no Magisterium.

— Então, isso é um plano de fuga? Você me fez participar de sua fuga idiota? — gritou Jasper, com a voz falhando. — Isso realmente é tudo culpa sua, Call. Eu...

— Cale a boca, Jasper — interrompeu Call, empurrando o garoto para a terceira porta. — Você pode gritar comigo quando estiver fora do prédio em chamas.

— Mais uma vez varrido pela vassoura cruel do destino — murmurou Jasper, enquanto continuavam.

Conforme Ravan havia instruído, eles atravessaram o corredor e depois viraram à direita para duas portas duplas com uma longa barra de madeira que as fechava. Jasper agarrou a barra e a empurrou para o lado. Call se lançou contra as portas, que se abriram.

Luz do sol e ar. Jasper se jogou para fora e depois gritou. Fez-se um barulho de algo batendo.

— Degraus! — alertou ele. — Cuidado com os degraus.

Atrás de Call, tudo era fogo. Ele respirou fundo e seguiu Jasper para o lado de fora. *Havia* degraus, um breve lance de escadas para baixo. Jasper, já tendo descido, esfregava o joelho. Mas havia também luz do sol e ar fresco, e nuvens e todas as coisas que Call não via há muito tempo. Ele respirou com ânsia e depois respirou de novo.

— Vamos — chamou Jasper. — Antes que alguém veja você.

Enquanto se afastavam da prisão, a fumaça diminuiu. Call olhou para trás.

O Panóptico era um enorme círculo cinzento de pedras atrás dos dois, em forma de um balde de cabeça para baixo. Chamas de cor laranja saíam pelas janelas e pelo telhado.

Chegaram a um gramado verde. Não havia janelas na cela de Call, mas, se houvesse, teria sido esta sua vista: um verde liso, uma grade ao longe e árvores além.

Também era possível ver uma cena de completo caos. Grupos de prisioneiros acorrentados, cercados por guardas. Outros eram levados para vans. Magos com túnicas verde-azeitona da Assembleia corriam pela grama, balançando os braços, tentando direcionar guardas, oficiais e prisioneiros em pânico e cobertos de fuligem.

Um dos Membros da Assembleia viu Call e gritou chamando por guardas.

— Onde está meu transporte? — indagou Jasper, tossindo. — Preciso sair daqui.

— Você vai simplesmente me *largar*? — perguntou Call.

— Você sabe o que acontece se eu ficar com você. Vou ser arrastado para algum show de horrores, com cabeças decapitadas e Dominadas pelo Caos. Não, obrigado. Tenho que reconquistar Celia. Não quero morrer.

— Pelo menos tire isso de mim. — Call esticou as mãos algemadas. — Me dê uma chance, Jasper.

Os guardas vinham na direção de Call agora, falando entre si, como se planejassem uma estratégia. Mas não se moviam rápido o bastante e, com Call de costas, não conseguiam ver o que Jasper estava prestes a fazer.

— Tudo bem — aquiesceu ele, se esticando para agarrar os punhos de Call. — Espere... do que elas são *feitas*? Nunca vi um metal assim.

— Vocês dois. — Uma voz latiu. Call praticamente saltou para fora do próprio corpo. A voz era de uma integrante da Assembleia em seu terno branco: *Anastasia Tarquin*. Por um instante, Call ficou paralisado com uma mistura de alívio e medo. Os cabelos prateados estavam puxados para trás, e os olhos claros ardiam. — Venham até aqui. Agora. Agora. — Ela estalou os dedos, olhando para Call de maneira impessoal, como se não o conhecesse. — Imediatamente.

Os guardas pararam de avançar, parecendo aliviados por outra pessoa cuidar da situação.

Xingando baixinho, Jasper seguiu Call e permitiu que Anastasia os guiasse pela grama.

— Transportando o Makar — avisou ela, levantando a mão cada vez que alguém parecia se aproximar ou questionar. — Temos que tirá-lo daqui o mais rápido possível. Saia do caminho!

Uma van bege estava estacionada na extremidade oposta do gramado. Anastasia abriu as portas de trás e empurrou Call para dentro. Ele não conseguia ver o motorista.

Jasper parou.

— Não tem motivo para eu entrar em um veículo com prisioneiros...

— Você é testemunha. — Anastasia se irritou. — Entre DeWinter, ou contarei a seus pais que você não colaborou com a Assembleia.

Com os olhos arregalados, Jasper seguiu Call. A van tinha bancos dos dois lados e barras acima da cabeça nas quais algemas poderiam ser presas para manter os prisioneiros no lugar. Call e Jasper sentaram-se frente a frente. Ninguém prendeu as algemas de Call. Em vez disso, as portas se fecharam, deixando-os em uma escuridão fria.

— Estranho — comentou Call.

— Vou registrar uma queixa — retrucou Jasper, em um tom resignado. — Para alguém. Alguém vai ouvir sobre isso.

A van arrancou, fez algumas curvas e depois acelerou no que parecia uma rodovia. Call não fazia ideia de para onde estavam indo. Ele sequer sabia ao certo onde ficava o Panóptico, quanto mais o destino dos prisioneiros em situações adversas

Ficou confuso com as presenças de Anastasia e Ravan. Anastasia lhe dissera ser mãe de Constantine Madden, e, como Call tinha a alma de Constantine, ela o ajudaria. Anastasia era encarregada dos elementares do Magisterium. Talvez tivesse armado tudo. Mas, se fosse verdade, qual seria o próximo passo? Toda a Assembleia estaria procurando por Call. Ela não poderia simplesmente levá-lo a algum lugar remoto até a poeira baixar. Toda a questão do Inimigo da Morte jamais seria esquecida.

Ele repassou o envolvimento de Anastasia, a probabilidade de isso ser uma fuga, seu medo de nunca mais voltar a ver o pai, a preocupação de que Mestre Rufus, novamente, acreditasse que Call havia mentido, e o medo de passar mal caso fizessem mais uma curva daquele jeito. Nenhuma conclusão. Foi com o coração pesado que sentiu a van parar. As portas de trás se abriram, e a luz entrou, fazendo Call piscar.

O motorista surgiu diante das portas abertas. Tirou a boina. Tranças longas e escuras caíram sobre seus ombros, e um sorriso familiar iluminou seu rosto. O coração de Call deu cambalhotas no peito.

O motorista era Tamara.

## CAPÍTULO TRÊS

Call olhou fixamente para Tamara, completamente chocado. Ela estava diferente. Ou não; talvez a imagem na memória dele tivesse perdido a nitidez ao longo dos últimos seis meses. Mas Call não achava que fosse isso. Ele pensava tanto na garota que não conseguia conceber qualquer esquecimento a seu respeito. Não que isso tivesse alguma importância... tinha? Call percebeu que ainda a encarava e que Tamara provavelmente estava esperando que ele dissesse alguma coisa. Foi salvo por Devastação, que pulou na van com um latido alto e começou a lamber vigorosamente o rosto do menino.

— Jasper — disse Tamara, franzindo o rosto para o outro passageiro da van. — O que está fazendo aqui?

— Você perdeu a cabeça? Você organizou uma fuga da cadeia? — perguntou Jasper, transbordando de fúria. — E sequer me contou para que eu pudesse visitar Call *outro dia*?

— Desculpe por não ter checado sua agenda social. — Tamara revirou os olhos, subindo na van e empurrando Devastação de cima de Call, com os dedos no pelo do lobo em um gesto amigável...

Call não conseguia falar. Tinha tanto a dizer que acabou ficando preso entre o pensar e o verbalizar. Estava tão feliz só de olhar para Tamara, tão feliz por ela ainda gostar dele o suficiente para ajudá-lo. E, mesmo assim, ele sabia que não haviam desculpas suficientemente grandes para dar a ela.

Tamara olhou para ele e sorriu suavemente.

— Oi, Call.

Ele teve a sensação de mal conseguir engolir. O rosto da amiga tinha mudado sutilmente nos últimos seis meses, mas, de perto, ela parecia menos diferente do que ele imaginava. Ainda tinha os mesmos olhos grandes, escuros e solidários.

— Tamara. Você... planejou isso tudo? — perguntou ele, a voz rouca.

— Não sem ajuda — respondeu ela, chamando Call para fora da van. Ele pulou para perto dela, esticando a perna dolorida.

Eles estavam em frente a um chalé bonitinho, no centro de uma clareira. Havia um pequeno lago ao lado, com uma ponte que o atravessava. Em frente à casa, estava Anastasia Tarquin, seu carro branco estacionado na entrada.

Anastasia continuava com o terninho branco, agora sujo de fuligem. Ela olhou para Call daquele jeito que o deixava incrivelmente nervoso, como se estivesse vendo uma leoa vindo em sua direção na savana.

— Vou ficar na van — avisou Jasper, sem fôlego. — Mais tarde vocês podem me deixar em algum lugar. Tipo um posto de gasolina, sei lá. Eu volto sozinho.

— Anastasia me ajudou — explicou Tamara, basicamente para Call. — Ela me deixou descer para falar com Ravan. — A menina olhou para baixo. — Fiquei sem ter muito com quem conversar, depois que Aaron morreu, e você... se foi.

— Podia ter conversado comigo — disse Jasper, ainda na van.

— Você só queria falar sobre Celia — rebateu Tamara. — E ninguém falava comigo sobre Call porque...

— Porque acham que eu sou o Inimigo da Morte — argumentou Call. — E que eu desejava Aaron morto.

— Nem todos pensam isso — disse Tamara, com voz baixa. — Mas a maioria, sim.

— Call, Tamara — chamou Anastasia da varanda. — Entrem. — Ela cerrou os olhos. — Você também, Jasper.

Resmungando, Jasper finalmente saltou da van do presídio.

— Quando foi que aprendeu a dirigir? — perguntou Call.

— Kimiya me ensinou — respondeu Tamara, enquanto subiam os degraus da frente. — Eu disse a ela que precisava me distrair por causa... você sabe. De você e Aaron.

*Você e Aaron*. Aaron tinha morrido, e Call estava ali, vivo, mas deve ter parecido como uma morte em vida para Tamara, já que estivera preso no Panóptico, com todos acreditando que ele fosse mau.

Call percebeu o quão apavorado ficara com a possibilidade de que Tamara acreditasse nisso também. Sentiu-se quase fraco com o alívio de perceber que, aparentemente, não era esse o caso.

Por dentro, a casa tinha uma sala bonita, com cortinas de renda e mesinhas cobertas por tecidos bordados. Havia uma jarra de limonada sobre uma mesa de centro. Era um ambiente receptivo, mas do mesmo modo que a casa da bruxa coberta de doces também o era. Mesmo assim, não reclamaria. Não estava preso, e Tamara estava ali. Tinham até trazido Devastação.

— Me deixe ver essas algemas — pediu Tamara, quando Call sentou no primeiro sofá que via em meses. Quem imaginaria que seria possível sentir saudade de sofás? Tamara franziu a testa. — De que elas são feitas? Isto não é metal.

— Não é possível removê-las sem ferramentas especiais — informou Anastasia. — Infelizmente não tenho nenhuma aqui. — Ela se levantou. — Call, venha comigo. Vou ver se consigo improvisar alguma coisa.

Sem saber quanto tempo teria com Tamara, ele relutou em abrir mão da presença da amiga, mas as algemas realmente precisavam sair. A contragosto, ele se levantou e seguiu Anastasia até a cozinha.

Ela apontou para um banco. Havia uma bolsa preta grande e pesada na bancada, parecendo um kit antiquado de instrumentos médicos. Enfiando a mão ali dentro, Anastasia pegou alguns cristais que, depois, pousou sobre uma bandeja. Então, ligou o maçarico embaixo destes.

Enquanto aqueciam, ela se virou para Call.

— Foi uma pena não termos conseguido resgatá-lo antes. Sei que a espera foi dura.

Call se remexeu no assento. Anastasia frequentemente agia como se soubesse o que ele estava pensando ou sentindo.

Às vezes tinha razão, outras não, mas sua convicção jamais se abalava.

Anastasia também tinha outra convicção, uma que mencionou para ele na única vez que o visitou no Panóptico. Ela acreditava que, por ser a mãe de Constantine Madden, também era mãe de Call.

Call não achava que as coisas funcionavam assim, mas sabia que não deveria discutir com Anastasia. Ela parecia absolutamente certa disso. Ele decidiu que, simplesmente, nunca mais tocaria no assunto, e torcia para que ele jamais ressurgisse.

— Tamara, é óbvio, ficou arrasada por não poder visitar — acrescentou.

Call queria acreditar.

— Ela é uma boa amiga.

— Amiga? — Anastasia deu uma risada barulhenta. — Ela gosta de você. Acho uma graça.

Call encarou a mulher, os pensamentos girando. Tamara não gostava dele! Isso era ridículo. Tamara era linda, inteligente, rica e tinha sobrancelhas perfeitas.

Desde que a conhecera, ele soube que ela era muita areia para seu caminhãozinho. Ele se lembrou de tê-la visto dançando com Aaron no início do Ano de Bronze. Formavam um belo casal. E Call sabia que jamais formariam um belo casal. Se dançassem juntos — mesmo que ele conseguisse acompanhar com sua perna —, tinha certeza de que pisaria no pé da menina.

Os cristais começaram a fazer um barulho estranho e choroso, e Anastasia desligou o fogo.

— Terra e fogo juntos — explicou. — É mais fácil extrair assim.

Então, estendeu uma das mãos e *derreteu* a corrente que ligava as algemas. Call precisou desviar muito rápido de um respingo de metal líquido. A gota atingiu o linóleo e soltou fumaça, escurecendo o plástico ao redor dos respingos.

Anastasia franziu o rosto para o chão.

— Isto é tudo que posso fazer por agora, mas deve ajudar com sua mobilidade até podermos remover as algemas propriamente ditas.

Call mal prestava atenção. Observava o chão que derretia, pensando: poderia ser verdade? Será que Tamara realmente gostava dele? Anastasia era um pouco estranha e, talvez, meio maluca. Provavelmente, não sabia do que estava falando.

Mas e se soubesse?

— Volte para a sala — disse Anastasia. — Eu já vou, depois que arrumar as coisas.

Mecanicamente, Call voltou para onde Tamara e Jasper discutiam a respeito da casa.

— Anastasia encontrou esta casa onde podemos nos esconder dos magos — dizia Tamara. — Ela ergueu uma magia de disfarce no ar em volta a fim de impedir que seja encontrada. Aqui estamos seguros para planejar os próximos passos.

Call a encarou, como se ela não fosse uma de suas melhores amigas. Como se não tivesse compartilhado um aposento com ela nos últimos três anos. Não, Tamara não podia gostar dele. Inclusive, se gostava de alguém, era de Aaron.

— Quanto tempo você tem até precisar voltar ao Magisterium? — perguntou Call de repente. — Quero dizer, vão perceber que você sumiu.

Ótimo, ele pensou. *Está parecendo que quero me livrar dela.* Ele teve o pensamento aterrorizante de que pudesse ficar tão travado diante de Tamara como tinha ficado com Celia quando descobriu que ela queria sair com ele. E se ele arruinasse a amizade? E se fizesse papel de bobo?

Tamara não o encarou.

— Não posso voltar, Call.

— E *eu*? — gritou Jasper. — E quanto à minha volta para a escola? Eu tenho que voltar! Celia está lá!

Call não conseguia processar direito o sacrifício que Tamara estava planejando fazer.

— Nunca mais? — perguntou a ela. — Você nunca mais vai poder voltar para a escola?

Talvez ele realmente tivesse um charme avassalador no fim das contas. Talvez ela gostasse mesmo dele. Ou talvez fosse uma grande amiga de verdade.

Talvez ele jamais fosse saber.

Tamara olhou demoradamente para Call.

— Não vou ficar lá, aprendendo mágica, enquanto os aprendizes falam que os magos vão te pegar e arrancar sua cabeça. Não vou voltar, a não ser que você volte comigo. E, para isso acontecer, temos que limpar seu nome.

Call engoliu em seco. Ele sabia que os outros alunos diriam coisas horríveis a seu respeito, mas não tinha pensado na parte de arrancarem sua cabeça. Pior, ele não achava que *houvesse* uma maneira de limpar seu nome — não enquanto todos pensavam que seu nome secreto era *Constantine Madden*.

— Vocês estão se ouvindo? — perguntou Jasper. — Como planejam fazer isso?

— Ainda não sei — admitiu Tamara. — Mas Ravan ajudou antes, e vai ajudar com isso.

— *Ravan*? — perguntou Jasper. — Aquela era no Panóptico era *Ravan*? Tamara, você não pode confiar em um Devorado, mesmo que ela um dia tenha sido sua irmã!

A mente de Call girava, ainda pensando no que Tamara havia feito ao tirá-lo da prisão. E logo com Anastasia Tarquin. Como Tamara e Anastasia foram trabalhar juntas? O que Anastasia queria?

Enquanto Jasper e Tamara discutiam, Call se flagrou olhando para a amiga, decorando suas feições — os olhos, o tom de voz quando se irritava, a curva de sua boca enquanto sorria. Ele temia que fosse perdê-la de novo. Estava acostumado a uma vida atribulada e seus improváveis esquemas de fuga. Estava acostumado a arrastar um Jasper indisposto para o referido esquema. Mas, antigamente, Aaron estava com eles.

Call sempre presumiu que todos concordavam com Aaron, e como ele gostava de Call, as pessoas o aturavam também.

Sem ele, tudo parecia estranho e errado. Desequilibrado. Incerto.

Sem Aaron, será que Tamara continuaria gostando de Call? Será que conseguiriam continuar amigos agora que eram apenas dois, e não três?

O pensamento em Aaron se fechou, como um punho frio, no coração de Call. Aaron deveria estar ali, discutindo sobre o que todos fariam. Em vez disso, ele estava morto. Call e Tamara tinham sido deixados para trás, juntos. Pensar nisso fez o coração de Call acelerar, de nervoso e algo mais.

Anastasia Tarquin voltou para a sala. Atrás dela, vinha uma figura familiar, vestindo túnicas pesadas. Tamara engasgou e levantou um pouco do sofá.

Era Mestre Joseph.

Call se levantou, pronto para atacar, mas nenhum Caos saiu de seus dedos. Mesmo sem a corrente, de algum modo as algemas o impediam de utilizar qualquer magia.

Tamara engasgou. Jasper recuou alguns passos e, depois, congelou, encarando. Óbvio, na última vez que vira o professor de Constantine, o túmulo do Inimigo da Morte estava ruindo a seu redor.

— O que — começou Jasper, com a voz sufocada — *ele* está fazendo aqui?

— Anastasia? — chamou Tamara, levantando a voz. — O que está acontecendo?

— Temo não ter sido totalmente honesta com você — respondeu a mulher. — Nem sobre mim, nem sobre meus motivos para soltar Call. Veja bem, antes de me chamar Anastasia Tarquin, eu tinha outro nome: Eliza Madden. Eu era a mãe de Constantine e Jericho Madden.

O coração de Call despencou.

Os olhos de Tamara ficaram gigantescos.

— *O quê?*

— Sim — disse Anastasia. — Tenho certeza de que nunca pensou no Inimigo da Morte como alguém que tivesse mãe, mas ele tem. Perdi meus dois filhos, mas não perderei Call. Não vou permitir que os magos o trancafiem até apodrecer. E, certamente, não vou permitir que o condenem à morte após um julgamento teatral.

— Me condenar à... *morte*? — repetiu Call.

Será que era o medo de Anastasia falando, ou ela sabia de alguma coisa? Será que era verdade?

— Íamos limpar seu nome! Em vez disso, você vai jogá-lo de volta nas mãos do monstro responsável pela perda de seu filho? — perguntou Tamara, gesticulando para Mestre Joseph.

— Isso é mentira — disse Mestre Joseph.

Ele mexeu as mãos e lançou Tamara de volta ao sofá, seu corpo batendo nas almofadas.

— Deixe Tamara em paz! — gritou Call, esquecendo-se de todo o resto.

Devastação começou a rosnar, e fogo faiscou do centro da palma da mão de Jasper.

Mestre Joseph olhou para eles com pena.

— Torcia para que viessem por vontade própria, mas sou plenamente capaz de levá-lo à força.

O rosto de Anastasia parecia mármore.

— Você não vai machucar Callum — disse ela. — Joseph!

Ela não podia realmente confiar em Mestre Joseph, podia? Call tentou se levantar, mas foi derrubado por outra onda lançada por ele. Mais uma vez, Mestre Joseph girou o punho e um vórtice de vento se ergueu de seus dedos e espiralou em direção a eles.

Call e Tamara estavam grudados no sofá, Jasper preso à parede. Até Devastação foi derrubado e choramingava e rosnava com a força do vento.

A porta abriu atrás de Mestre Joseph. Através dela, vieram os Dominados pelo Caos — os seguidores zumbis sem mentes do Inimigo da Morte. Um dos grandes crimes de Constantine foi fabricá-los; e também, de acordo com pessoas como Mestre Joseph, uma de suas grandes conquistas.

Implacavelmente, os Dominados pelo Caos cercaram Call, Tamara e Jasper, pegando-os pelos braços e marchando com eles para fora. Uma vez lá, pararam, formando um círculo espaçado. Pareciam totalmente bizarros e deslocados na bela clareira com a pequena casinha no meio.

Anastasia e Mestre Joseph estavam na varanda. A mulher olhava para Call com o mesmo apetite de antes. Outro carro despontou na entrada. Devastação, latindo e rosnando, correu em volta do círculo, sem conseguir se aproximar.

Por que os Dominados pelo Caos tinham parado? Call sabia que eles não tomavam as próprias decisões; eram cascas de seres humanos que tiveram o caos forçado para dentro de suas almas e, portanto, obedeciam totalmente a seu Mestre.

*Seu Mestre.* Constantine Madden tinha feito os Dominados pelo Caos. Ele era o Makar, seu Mestre. Era a única coisa mais ou menos boa de se ter a alma de Constantine.

Call pigarreou. Isso seria constrangedor.

— Me soltem — exigiu ele. — Sou seu Mestre. Sou o Inimigo da Morte. A alma dele é igual a minha. Me soltem, Dominados pelo Caos.

Nas últimas duas vezes que tinha feito isso, funcionou.

Daquela vez, nada aconteceu.

Parecia que Call batia contra uma parede. Os Dominados pelo Caos simplesmente o encararam, os olhos reluzentes girando como os de Devastação.

Talvez fosse por causa das algemas, pensou Call, tentando contorcer as mãos para retirá-las dos punhos.

Então, a porta do carro recém-chegado abriu, revelando um menino alto com cabelos castanhos desgrenhados. Vestia uma jaqueta de couro e um sorriso cruel.

Alex Strike. O assassino de Aaron e o único outro mago do caos que Call conhecia.

Um rugido saiu da garganta de Call quando ele avançou para cima de Alex. Atrás dele, Tamara gritava e chutava os Dominados pelo Caos que a seguravam.

— Eu vou te matar! — Havia lágrimas no rosto de Call enquanto ele se lançava contra Alex. — Eu vou te matar!

— Detenham Call — pediu Alex, preguiçosamente.

Segundos depois, o menino sentiu que uma dúzia de Dominados pelo Caos o segurava, as garras como ferro.

Os olhos de Alex dançaram.

— Eu fiz estes — disse ele, indicando os Dominados pelo Caos na clareira. — Eu sou seu Makar, não você nem Constantine. Eles obedecem *a mim*.

— Basta! — exigiu Anastasia, da varanda. — Você não vai ferir Call. *Ninguém* vai feri-lo. Alex, você entendeu? Precisamos deixar nossas diferenças para trás.

Alex a encarou com olhos afiados, depois encarou Mestre Joseph, como se esperasse ouvir alguma coisa diferente.

Em vez disso, Mestre Joseph sorriu para todos eles, como se tudo estivesse indo muito bem.

— Sim, ninguém vai machucar ninguém. Vamos todos voltar para a fortaleza em paz. Temos muito a discutir. O futuro pelo qual tanto esperamos finalmente chegou.

Alex assumiu uma expressão petulante, mas nenhum dos adultos pareceu notar.

Os olhos de Anastasia estavam fixos em Call.

— Sei que provavelmente está muito chateado comigo agora, mas sei o que é melhor para você. Você precisa de proteção. Os magos só entendem demonstrações de força. Você se colocou a sua mercê, e viu só o que aconteceu?

— Ravan vai ficar sabendo! — gritou Tamara. — Quando eu não me encontrar com ela como disse que faria, ela vai saber que você nos traiu. Ela vai contar para alguém.

Anastasia balançou a cabeça e estalou a língua, como se Tamara tivesse algum retardo.

— Quem vai acreditar nela? Ravan é uma elemental fugitiva que ateou fogo a um presídio.

Tamara pareceu derrotada e furiosa consigo mesma. Call queria dizer que ela não tinha culpa pelo plano ter tido um desvio de rota, que esse tipo de coisa sempre acontecia quando ele estava envolvido. Mas, antes que pudesse falar qualquer coisa, a coisa morta que o segurava começou a arrastá-lo para a van. Em poucos instantes, estavam lá dentro com Devastação.

— Sério? — perguntou Jasper, sombriamente, de um dos bancos. — Reuniões clandestinas com os capangas do Inimigo da Morte definitivamente não vão limpar seu nome, Call. Pelo contrário. Isso é o oposto de limpar seu nome.

— Ninguém planejou isso, Jasper! — Tamara se irritou.

— Mestre Joseph planejou — rebateu ele, de modo muito incisivo. Call estava acostumado a comentários críticos, mas, dessa vez, era diferente. Jasper estava certo.

Frustrado, Devastação uivou e andou de um lado para o outro naquele espacinho antes de se ajeitar na perna de Call.

Call esperava ouvir alguém sentando no banco do motorista, dando partida no motor, mas, em vez disso, sentiu a van inteira ser suspensa no ar. Todos caíram de lado, gritando. Jasper aterrissou em Call antes de rolar sobre Devastação. Call bateu a perna com força no banco. Tamara tombou por cima do amigo, o cabelo caindo na boca de Call e o joelho acertando um lugar que o menino não queria pensar.

*Ai.*

Em seguida, a van arrancou novamente, e eles rolaram para o lado oposto.

— Ei! — gritou Call, quando recuperou o ar. — Achei que ninguém deveria se machucar!

Após mais alguns minutos de arrancadas, a van estabilizou e passou a flutuar mais suavemente. Eles ficaram no chão até terem certeza de que era seguro, e depois voltaram para os bancos.

Jasper esfregou o pescoço.

Tamara estava quieta ao lado de Call. Respirando fundo, ele esticou uma de suas mãos algemadas e pegou a dela. Estava quente e macia, e ele segurou firme enquanto voavam para a fortaleza que outrora havia pertencido ao verdadeiro Inimigo da Morte.

# CAPÍTULO QUATRO

Horas se passaram, durante as quais Call cochilou e acordou. Ele estava alerta, mas também exausto. Não parava de pensar em Alastair; como seu pai saberia onde ele estava? O homem receberia as notícias da fuga de Call. Muito em breve, todos no mundo dos magos saberiam que havia um Makar à solta. Call pensou na preocupação do pai e se sentiu vazio por dentro.

Tamara não dormiu. Toda vez que Call abria os olhos, via a garota olhando arrasada para o escuro. Em dado momento, notou que lágrimas lhe escorriam pelo rosto. Ficou imaginando se estaria chateada com o fracasso de sua fuga da cadeia. Ou talvez estivesse com saudade de Aaron.

Tamara salvara a vida de Call quando Alex Strike tentou roubar sua magia do caos. Mas, ao salvar a vida dele, ela condenou Aaron... o melhor e mais gentil cara que Call já havia conhecido.

Ela poderia ter salvado qualquer um dos dois e escolheu Call. Ninguém em sã consciência o escolheria.

A pergunta de Call não era se Tamara havia se arrependido. Era *quanto*. Ou, pelo menos, era o que ele achava até ouvir as palavras de Anastasia.

Agora já não sabia o que pensar. Por um lado, queria acreditar. Por outro, a fonte era Anastasia, e a mulher não era exatamente confiável.

A van finalmente aterrissou com um solavanco que derrubou todos no chão. As portas traseiras foram abertas por Alex Strike. Call sentiu nojo mais uma vez ao ver Alex, e ficou imaginando se algum dia se acostumaria. Se algum dia não sentiria o impulso de fazer a cabeça do garoto inchar e explodir, como uma fruta que amadureceu demais.

Não queria se acostumar.

— Bem-vindos ao lar — ironizou Alex, recuando para que pudessem saltar da van.

Ele não estava sozinho. Havia um semicírculo de Dominados pelo Caos atrás dele. Mestre Joseph não estava à vista.

Acima, o sol se punha em um esplendor de vermelhos e roxos. Estavam em uma ilha, no meio de um rio largo; as margens eram visíveis dos dois lados, ao longe. Capim crescia sem aparo entre lilases.

Em frente às vans erguia-se uma enorme casa de pedra amarela com torres, como as de um castelo. Havia uma imensa entrada sob um pórtico. A construção colocava a casa de Tamara no chinelo em termos de tamanho, apesar de as ervas daninhas ao redor estarem grandes demais, e o lugar em si parecer ao mesmo tempo um pouco estranho e há muito abandonado.

Devastação, livre do confinamento da van, latiu alto. Call estava prestes a mandá-lo se calar, quando um coro de latidos e uivos respondeu.

Os olhos de Tamara se arregalaram.

— Outros lobos Dominados pelo Caos — constatou.

O barulho era lindo e sinistro. Devastação parecia não saber o que fazer consigo mesmo; ele avançou com curiosidade, antes de se encolher novamente junto à perna de Call. O garoto fez carinho em sua cabeça.

Alex riu.

— Bicho idiota.

Tamara se irritou.

— Não fale assim dele.

— Quem disse que estou falando de Devastação? — retrucou Alex.

Ele começou a subir as escadas até a porta da frente da casa. Os Dominados pelo Caos começaram a se mover também, guiando Call, Jasper e Tamara para a entrada.

Eles atravessaram as enormes portas da frente e chegaram a uma entrada, também enorme. Um lustre de vitral gigantesco pendia do teto, perdido nas sombras acima. Uma ampla escadaria erguia-se a partir da entrada, levando a sabe-se lá quantos andares. Acima de uma lareira estava a máscara de prata de Constantine Madden — a mesma que Mestre Joseph usava na primeira vez que Call o viu, a mesma que permitiu que ele se passasse por Constantine por tanto tempo enquanto esperava Call crescer para tomar o lugar do Inimigo da Morte.

Acima dela, pendia o Alkahest, o ar a seu redor brilhando de forma a indicar alguma espécie de defesa mágica. Outrora criado para destruir um praticante do Caos, Alex, de algum jeito, o modificou para roubar o Caos. Ele o utilizou para matar Aaron e roubar seu poder. Se não fosse pelo Alkahest, não haveria um bando de Dominados pelo Caos obedecendo Alex. Se não fosse pelo Alkahest, Aaron não estaria morto.

Jasper emitiu um ruído impressionado. Tamara o encarou.

— Sim, é um belo chalezinho — disse Alex, vagamente. — Venham. E vocês — ele estalou os dedos para os Dominados pelo Caos —, podem ficar aqui.

Call e seus acompanhantes foram atrás de Alex até uma sala espaçosa, onde havia uma grande mesa de madeira ao centro. Mestre Joseph estava ali, mexendo no conteúdo de um enorme caldeirão com uma colher pesada de metal.

— Ah — disse ele. — Que bom que chegou. Veja, tudo aqui é muito civilizado. Não é como a prisão onde estava.

*Mas ainda é uma prisão*, pensou Call. Mesmo assim, ele deixou que Mestre Joseph dissesse algumas palavras sobre suas algemas e o libertasse delas. Call esfregou a pele outrora coberta pelo metal, constrangido.

— Onde está Anastasia? — perguntou.

A mulher o deixava desconfortável, mas Call realmente acreditava que ela queria seu bem.

— Lá em cima, se preparando para o jantar — respondeu Mestre Joseph, e, então, indicou o conteúdo do caldeirão.

— Olho de salamandra? — perguntou Call. — Ensopado de pata de sapo?

— Meu famoso chili superpicante, na verdade — revelou Mestre Joseph. — Drew sempre adorou.

A menção ao filho morto de Mestre de Joseph fez Call congelar. O homem havia dito que não culpava Call pela morte de Drew, apesar de ele ter sido, pelo menos parcialmente, responsável por ela. Call tinha certeza de que parte do Mestre o detestava, e esse ódio poderia vir à tona a qualquer momento.

Mestre Joseph queria que Call fosse Constantine Madden renascido. Ele queria o Inimigo da Morte. Callum Hunt, mesmo carregando sua alma, seria uma constante fonte de decepção.

— O que quer que eu faça com Call e seus assistentes? — perguntou Alex em tom de tédio.

— Os aposentos de Call e Tamara são na Ala Vermelha — disse Mestre Joseph. — Quanto a nosso convidado inesperado... — Ele olhou para Jasper. — Acomode-o no antigo aposento de Drew.

— Ah, não — reclamou Jasper. — Isso parece sinistro.

Mestre Joseph lançou a Jasper um sorriso que era metade rosnado.

— Nós, aqueles que lutam nobremente contra a morte, já fomos acusados de sermos macabros. De ficarmos confortáveis demais com a morte. Não gostamos de dar crédito a esse tipo de falácia. Simplesmente nos recusamos a reconhecer a morte como um fim. Só isso.

Jasper não pareceu reconfortado.

— Além disso, os quartos são os únicos lugares que os Dominados pelo Caos não visitam — acrescentou.

— Por outro lado — disse Jasper —, isso é bom.

Mesmo assim, ele continuou olhando fixamente para Call enquanto subiam, e mexeu a boca formando a frase *É tudo culpa sua* antes de ser conduzido a algo chamado de Ala Verde por um Dominado pelo Caos silencioso.

Call e Tamara foram levados por um corredor de paredes vermelhas. Tamara foi conduzida a um quarto do outro lado do corredor, enquanto Alex levou Call pessoalmente ao dele, inclinando-se sobre o garoto para acender a luz.

— Anastasia cuidou da decoração — explicou ele. — O que acha?

À primeira vista, o quarto parecia tranquilo. Era normal, simples, com lençóis e travesseiros listrados de branco e azul-marinho. Apenas lentamente, o horror do que estava vendo se apresentou. Fotos de família preenchiam todas as superfícies: Constantine Madden, rindo com o irmão Jericho. Acenando para os pais através de uma grade. Em um acampamento com toda a família.

Fotos de Constantine sozinho, recebendo prêmios na escola, em cerimônias onde novas pedras eram postas em sua pulseira. Sorrindo no uniforme do Ano de Prata. Fotos alegres com amigos tinham sido afixadas às molduras dos espelhos, acima da cama.

Amigos que, em sua maioria, estavam mortos, assassinados na Terceira Guerra dos Magos.

— Todos os livros aqui eram os favoritos de Constantine — revelou Alex, com um tom de júbilo. — Todas as roupas no armário são as roupas que ele usava quando tinha sua idade. Estão torcendo para que isso ative algumas enxurradas de lembranças, mas não acredito que vá funcionar.

— Saia daqui — disse Call.

A seu lado, Devastação gania, inquieto. Conseguia sentir o aborrecimento de Call, mas não sabia por quê.

Alex se apoiou no batente na porta.

— Mas isso é tão engraçado.

Call se lembrou de quando admirava Alex. Achava que ele fosse apenas o assistente de Mestre Rufus, um aprendiz mais velho e legal que era gentil com Call. Mas toda aquela gentileza tinha sido falsa, como o ilusionismo que ele praticava.

— Vou me trocar para o jantar — avisou Call. — Saia daqui, ou assista enquanto eu fico pelado; a escolha é sua.

Alex revirou os olhos e desapareceu, fechando a porta atrás de si.

Call se aproximou a fim de analisar as fotos colocadas na moldura do espelho. Constantine e os amigos. Ele reconheceu um Alastair Hunt muito mais jovem, com o braço em volta de Constantine, sorrindo e apontando para alguma coisa ao longe. E lá estava a mãe de Call, Sarah, parecendo muito jovem, com o cabelo solto e um sorriso bonito. Ela estava ao lado de Constantine, e alguma coisa lhe pendia do quadril.

Miri. A faca que Sarah tinha feito. Ela estava com Miri. Call sentiu o fundo da garganta começar a doer ao lembrar que a mãe usara aquela faca para talhar as palavras na parede de gelo da caverna onde morreu.

*MATE A CRIANÇA.*

Call foi até o guarda-roupa e abriu as portas.

As roupas lá dentro provavelmente teriam sido mais perturbadoras para alguém que não tivesse crescido com Alastair Hunt, e que, portanto, fazia compras em muitos brechós e empórios vintage. Muitos jeans pretos com joelhos rasgados e longas bermudas cargo. Ao lado, camisas de inverno, camisetas brancas e muita flanela. Havia também uma jaqueta jeans surrada. Os anos noventa tinham voltado e viviam no armário de Call.

Apesar do que Alex dissera, Call torceu para que Mestre Joseph tivesse comprado roupas de segunda mão. Isso já seria sinistro o suficiente, mas, ao examinar a jaqueta jeans, que tinha patches e coisas escritas, chegou à conclusão ainda mais sinistra de que tudo aquilo pertencera mesmo a Constantine Madden.

Call torceu muito para que as cuecas fossem novas. Ele não queria usar as roupas íntimas de um Suserano do Mal.

A porta se abriu, e Jasper entrou.

— Eu não c-c-c-consigo — gaguejou ele. — Não consigo ficar lá!

— O que foi agora? — Call estava cansado das reclamações de Jasper. Afinal de contas, nenhum deles queria ter sido sequestrado. Nenhum deles queria dormir naquele lugar. — Não pode ser mais perturbador que isso!

Jasper olhou em volta, assimilando tudo. Depois virou novamente para Call.

— Venha comigo. — Havia uma tristeza em sua voz que fez com que Call o seguisse, com Devastação logo atrás.

Eles passaram do corredor vermelho para um verde, atravessaram duas portas até chegar a uma terceira, que Jasper abriu.

Era um cômodo grande, com uma janela ampla. A luz que entrava iluminava teias de aranha ao redor. Poeira havia assentado na maior parte das superfícies. Parecia que ninguém entrava ali desde a morte de Drew. Era sinistro, Call precisava admitir. Principalmente pela quantidade de cavalos.

Havia uma parede tomada de prateleiras, cada uma delas contendo centenas de cavalos. E havia pôsteres de cavalos. Cavalos na lâmpada da cabeceira. Cavalos correndo pelos lençóis.

— São muitos... — Call conseguiu falar, encarando.

— Viu? — disse Jasper. — Não posso dormir aqui!

Até Devastação pareceu um pouco assustado e farejou o ar, preocupado.

— Suponho que toda a obsessão com pôneis não fosse apenas parte do disfarce de Drew — admitiu Call, que precisou concordar: aquele quarto era, na verdade, pior que o seu.

— Eles ficam me olhando — comentou Jasper, já assombrado. — Não importa para onde vá, eles ficam olhando com esses olhos pretos de bolinha de gude. É horrível.

Tamara entrou no quarto. Atrás da garota, no corredor vermelho, uma porta estava ligeiramente aberta.

— O que vocês estão olhando... Uau! — Ela piscou os olhos para os cavalos.

— Como é seu quarto? — perguntou Jasper.

— Não importa — respondeu Tamara, rápido demais. — Totalmente sem graça.

Call cerrou os olhos para ela, desconfiado.

— Será que posso dormir lá?

Jasper pareceu muito alegre com a ideia, como se o problema da situação fosse as acomodações. Ele foi para a porta ligeiramente aberta no corredor vermelho.

— Não! — exclamou Tamara, indo atrás dele. — E não tem por que você olhar...

Mas, àquela altura, ele já tinha terminado de abrir a porta. Por um instante, Call achou que o rosto de Jasper tinha ruborizado, mas foi apenas um reflexo do interior do quarto. Era rosa. Muito, muito, muito rosa.

Tamara soltou um longo suspiro.

— Sei que temos problemas maiores, mas meu quarto é constrangedor!

As paredes eram pintadas de rosa-claro. Sobre a cama de dossel rosa-escuro caía um tecido transparente como gaze. A roupa de cama era rosa néon e coberta de laços. Em cima havia um unicórnio de pelúcia gigante, com um chifre de tecido prateado. No chão, um tapete rosa peludo em formato de coração.

— Uau! — espantou-se Call.

— Você precisa ver as roupas no armário — continuou Tamara. — Não, na verdade ninguém jamais deveria ver as roupas no armário.

Lá de baixo veio um chamado.

— Jantar!

— Acham que isso é alguma trama maligna de Mestre Joseph para se certificar de que a gente não consiga dormir? — Call quis saber enquanto desciam. — Os cultos não tentam fazer lavagem cerebral exaurindo a pessoa?

Tamara franziu o nariz, como se fosse discordar, mas não o fez. Em vez disso, parecia considerar a possibilidade.

Enquanto se dirigiam ao recinto com a mesa comprida, posta para seis e com comida suficiente para doze, Call teve que considerar que Mestre Joseph poderia ter outro esquema maligno. Além da privação do sono, os cultos não deveriam alimentar as pessoas de maneira satisfatória. Só que Mestre Joseph parecia pretender alimentá-los em excesso.

O chili borbulhava no caldeirão ao centro da mesa, parecendo delicioso com muito queijo por cima. Havia mais queijo ralado com cebolinha em um prato e um balde de *sour cream*. Quadrados dourados de broa de milho estavam empilhados em formato de pirâmide ao lado de um monte de manteiga, com uma faca espetada e um jarro de mel. No aparador havia três tortas — duas de nozes e uma de batata-doce. O estômago de Call rugiu tão alto que Jasper se virou surpreso, como se pudesse haver um lobo Dominado pelo Caos a seu lado.

Uma pessoa Dominada pelo Caos pousou uma jarra do que parecia chá doce com força o bastante para derramar um pouco, depois olhou para Call, a expressão vazia, inclinou a cabeça para a frente, em uma espécie de reverência, e se retirou do recinto. O menino contemplou a violência com que os Dominados pelo Caos se moviam. Call sempre achou que eles lutavam por serem ordenados a fazê-lo, mas talvez tivessem tendências assassinas.

Em seguida, ficou ocupado demais babando para pensar em qualquer outra coisa.

Mestre Joseph pareceu satisfeito com a reação do grupo.

— Sentem, sentem. Os outros já vão chegar.

Após muitos meses de prisão alimentando-se de uma comida nojenta, Call não precisava de incentivo. Ele tomou um assento e colocou o guardanapo na camisa, ansioso.

— Acha que pode estar envenenado? — sussurrou Tamara, sentando-se a seu lado. Jasper ficou do lado oposto, inclinando o corpo para ouvir melhor.

— Ele também vai comer — indicou Call, direcionando o olhar para Mestre Joseph.

— Ele pode ter tomado o antídoto — insistiu Tamara. — E dado para Alex e Anastasia.

— Ele não sequestraria você e Call e ofereceria quartos personalizados só para envenená-los em seguida — sussurrou Jasper de volta. — Vocês são dois idiotas. A única pessoa que ele envenenaria sou eu.

As portas se abriram, e Anastasia entrou, seguida por Alex. Call quase tinha se esquecido de que eles se conheciam bem; Anastasia havia se casado com o pai do garoto em uma tentativa de esconder sua identidade como Eliza Madden. Ela parecia uma rainha em seu terninho branco e uma camisa preta com uma mariposa na frente. Uma camisa bem legal, na verdade, e Call se pegou desejando ter uma também (por outro lado, *de fato* parecia algo que um Suserano do Mal poderia usar).

Alex se sentou e imediatamente começou a se servir de chili. Depois que terminou, Jasper pegou a colher, e logo todos estavam comendo (exceto Anastasia, que apenas mordiscava as pontas de uma broa de milho).

Na primeira colherada de chili, os sabores explodiram na boca de Call — doce, apimentado, defumado. Não era comida de presídio e não era líquen.

— A comida do mal é muito boa — murmurou para Tamara à sua esquerda.

— É assim que eles conquistam — devolveu ela, mas já estava repetindo a broa de milho.

— Encantador — disse Mestre Joseph, olhando em volta com uma expressão enganosamente benigna. — Eu me lembro de refeições assim com Constantine e seus amigos. Jasper, você daria um belo Alastair Hunt, e você, Tamara, seria Sarah, é lógico.

Tamara pareceu horrorizada com a ideia de ser comparada à mãe de Call. A conversa deixou o garoto tão horrorizado quanto.

— Aham — disse Alex, parecendo entretido. — Então quem eu sou?

— Não é Jericho — assegurou Anastasia, secamente.

— Você é Declan — respondeu Mestre Joseph. — Ele era um bom menino.

Declan Novak era o tio de Call. Havia morrido no Massacre Gelado, protegendo Sarah. Apesar de nunca ter conhecido Declan, Call tinha certeza de que ele não tinha nada a ver com Alex.

— Eu deveria ser Constantine — murmurou Alex.

Seu olhar se dirigiu à outra sala, onde a máscara de prata e o Alkahest pendiam sobre a lareira.

— Uau! — exclamou Jasper em voz alta, interrompendo o silêncio desconfortável que seguiu-se a essa afirmação. — Quem está pronto para a torta? Sei que eu estou.

Ele se levantou com o prato, mas Mestre Joseph gesticulou para que ele ficasse onde estava.

— Deixe Call escolher o primeiro pedaço — disse Mestre Joseph. — Nesta casa, tudo serve ao Inimigo da Morte.

Alex bateu com o garfo.

— Então temos que fazer tudo o que ele diz só porque tem a alma de um morto?

— Sim — respondeu Mestre Joseph, cerrando os olhos para o menino.

Jasper engoliu em seco e sentou, sem torta.

— Mas ele nem *quer* isso! — explodiu Alex. — Ele não se importa em fabricar mais Dominados pelo Caos! Não quer conduzir um exército contra o Magisterium!

— Não existe Call — afirmou Mestre Joseph. — Existe apenas Constantine Madden. É nosso dever fazer com que Callum Hunt entenda quem ele é.

— Isso não é verdade — disse Tamara, com a voz falhando. — Call é Call. O que quer que tenha transformado Constantine em alguém tão perturbado, não aconteceu com Call.

— O que deixou Constantine tão perturbado, mocinha — argumentou Mestre Joseph —, foi ter perdido o melhor amigo, seu irmão. Seu *contrapeso*. Está dizendo que isso não aconteceu a Call?

Com a menção a Aaron, a visão de Call foi tingida de vermelho. Ele agarrou a faca ao lado do prato e a apontou para Alex.

— Eu não *perdi* meu melhor amigo. Alex o matou. Ele *roubou* seu poder de Makar. Mas nunca será metade do que Aaron foi.

Os olhos de Alex arderam em fúria.

— Sou duas vezes mais que qualquer um de vocês! Aprendi sozinho a modificar o Alkahest e tomei o poder de comando do caos de outro mago. Sou o primeiro Makar a ter feito isso. Aprendi a criar Dominados pelo Caos em poucos meses, enquanto você *nunca* o fez!

Call pensou em como fora sua tentativa de trazer Jennifer Matsui de volta, e não disse nada.

— Você é nojento — disse Tamara. — Ter orgulho disso é *nojento*.

— Vocês dois! — repreendeu Mestre Joseph. — *Todos* vocês! Sei que vai ser difícil encontrarem um território comum, mas isso não está ajudando. Você conquistou muitas coisas, Alex, mas todas a partir das descobertas de Constantine. Vamos dar a Call a oportunidade de descobrir quem ele é; se isso não acontecer, eu arrancarei seu poder pessoalmente.

Call perdeu o fôlego, pensando no Alkahest e do que ele era capaz. Mestre Joseph tinha passado anos desejando o poder do Caos. Agora ele poderia tê-lo, se estivesse disposto a tomá-lo.

Jasper se levantou e cortou um grande pedaço da torta de nozes. Todos pararam de gritar e o observaram enquanto ele servia o próprio prato, sentava e levava uma grande garfada à boca.

— O quê? — perguntou ele, ao perceber que estava sendo observado. — Isso *está* ajudando. Agora eles não precisam brigar pelo primeiro pedaço.

Alex parecia prestes a saltar por cima da mesa e estrangular Jasper. Call frequentemente tinha a mesma vontade. Mas, naquele momento, a impertinência de Jasper lhe pareceu heroica.

Mestre Joseph cortou mais fatias da torta. Call comeu um pedaço enorme da de nozes e da de batata-doce, entremeando cada mordida com um olhar maligno, tentando provar seu domínio por meio de um consumo superior de torta. Alex fez uma degustação patética da própria fatia; tirou as nozes do topo e do meio, deixando a crosta no prato. Call fez uma careta para ele.

Finalmente, Mestre Joseph se levantou.

— Foi um longo dia, e me parece hora de descansar. Call, tem carne moída de hambúrguer para Devastação na geladeira. Pode pegar o que quiser. Espero que tenham percebido a tolice que seria tentar fugir. Há Dominados pelo Caos em todas as portas para impedir sua saída.

Call não disse nada, considerando que não havia nada a dizer. Ele era prisioneiro novamente... E, dessa vez, Jasper e Tamara também.

Anastasia se retirou com um afago breve e desconfortável no ombro de Call e um beijo em sua cabeça. Ele ficou parado, tentando não fazer careta. Jamais tivera uma mãe, mas não era assim que ele achava que deveria ser.

Uma vez que se viram sozinhos no alto da escada, Tamara voltou-se para Jasper e Call com um olhar determinado e jurou com um sussurro ríspido:

— *Nós vamos sair daqui.*

## CAPÍTULO CINCO

Fizeram a reunião no quarto cor-de-rosa, esticados no tapete felpudo de coração. Enquanto montavam uma estratégia, Tamara arrancou furiosamente as rendas das bainhas e das mangas de uns vestidos em tom pastel verdadeiramente estranhos. Cor-de-rosa deveria deixar as pessoas mais calmas, porém Call só se sentia deprimido e muito, muito cheio.

— Não posso acreditar que seu plano original de fuga requer *outro* plano de fuga — disse Jasper. — Você é péssima nisso.

Tamara olhou fixamente para ele.

— Suponho que quanto mais escaparmos, melhores ficaremos em nossas fugas.

Após um momento, Jasper se alegrou.

— Talvez não seja *tão* ruim que tenhamos sido sequestrados. Quero dizer, isso tudo é muito dramático. Quando Celia entender o que me aconteceu, ela vai se sentir péssima por ter me dispensado. Vai segurar minha foto junto ao coração, temendo por minha vida e derramando uma lágrima pelo amor que compartilhávamos. *Se ao menos ele voltar*, ela vai pensar, *implorarei para que seja meu namorado outra vez!*

Call encarou Jasper, sem fala.

— Mas, quero dizer, só se não escaparmos rápido demais — prosseguiu Jasper. — Ela precisa de tempo para descobrir que eu sumi, e chegar a todo esse sofrimento épico. Talvez algumas semanas. Afinal, a comida aqui é muito boa.

— E se até lá ela arranjar outro namorado? — alfinetou Tamara. — Quero dizer...

— Certo — cortou Jasper, interrompendo-a. — O que vamos fazer? Tem que ser hoje.

— Já chequei as janelas; pelo menos as desse quarto. São elementares, como as que usam no Panóptico — explicou Tamara. — Não quebram. Talvez a gente consiga atravessar com magia, mas isso daria muito trabalho e pode acionar algum alarme.

— Então, nada de atravessar janela — concordou Jasper. — E quanto a mandar um recado para Ravan?

Tamara balançou a cabeça.

— Para fazer isso, ainda assim temos que sair daqui. Eu poderia tentar chamar outro elemental do fogo e pedir que a encontre, mas isso é muito avançado. Nunca fiz nada parecido.

— Bem, Mestre Joseph disse que eu devia alimentar Devastação com coisas da geladeira, e ele deve saber que precisamos levá-lo para passear — disse Call. — Isso ao menos nos coloca do lado de fora do prédio.

— Não poderemos *todos* sair com ele — observou Tamara. — Mestre Joseph não deve ser tão burro.

Jasper fez uma careta.

— Não. Mas deve haver outros Dominados pelo Caos por aqui, certo? Esta é a fortaleza do Inimigo da Morte. Aqui é onde todos estão.

— E daí? — perguntou Tamara, arrancando outra renda de uma saia, deixando vários fios pendurados. — Isso não é pior ainda para a gente?

Jasper lançou um olhar na direção de Call.

— Não, porque significa que há alguns aqui que ele pode controlar. E se formos passear com Devastação e Call conseguir um de *seus* Dominados pelo Caos para lutar contra os de Alex? Seria distração o bastante para escaparmos.

Call respirou fundo.

— Talvez vocês dois devam fugir. Podem levar Devastação para passear, como disseram, e aí simplesmente continuam andando. Devastação pode mantê-los protegidos contra qualquer coisa no bosque, e eu fico para trás a fim de impedir que sejam seguidos. Vocês devem buscar ajuda. O mundo dos magos pode me odiar, mas eles não me querem com Mestre Joseph... vão achar perigoso.

— Call, se fugirmos, Mestre Joseph provavelmente vai sair daqui e levar você com ele — argumentou Tamara. — Ele não vai ficar esperando a gente voltar com a Assembleia e um exército. Precisamos ir juntos.

— Além disso — completou Jasper —, se a Assembleia descobrir que você está com Mestre Joseph, vai concluir que foi por vontade própria.

Jasper, pensou Call, tinha o péssimo hábito de imaginar o pior que as pessoas poderiam pensar. Provavelmente, porque sua mente também funcionava assim. Mas isso não tirava sua razão.

— Tudo bem — concordou Call. — Então qual é o plano? Tamara respirou fundo.

— Os Dominados pelo Caos — respondeu ela.

— Vamos fazê-los lutar entre si, como eu sugeri? — Jasper pareceu feliz. — Sério?

— Não — disse Tamara.

— Talvez todos na casa sirvam a Alex — especulou Call.

— Acho que não. Lembre-se do que ele disse: *eu fiz esses*. Ele não pode ter feito todos os Dominados pelo Caos dentro e em volta da casa. São muitos. Alguns devem ter sido feitos por Constantine e são leais a você.

Call se lembrou do serviçal Dominado pelo Caos na sala de jantar e da maneira como ele abaixou a cabeça.

— Acho que sei onde procurar — disse Call lentamente.

O ar noturno estava frio, então eles se separaram para pegar casacos e se encontraram novamente no corredor do lado de fora dos quartos. O casaco de Jasper tinha um cavalo. Tamara usava um longo vestido verde-claro, com a renda arrancada, a jaqueta jeans e um boné de jornaleiro. Call estava com Devastação ao seu lado preso na coleira.

— Vamos lá — chamou Tamara, sombriamente.

Os três desceram sorrateiramente as escadas até a grande entrada. Estava escura, as luzes fracas. Call entregou a coleira de

Devastação a Tamara e foi até a sala de jantar exatamente quando Mestre Joseph veio descendo.

— O que estão fazendo? — perguntou ele a Tamara e Jasper.

Call aproximou o olho do buraco da porta. Mestre Joseph estava usando um roupão cinza felpudo, o que deveria ter sido hilário, mas não era. Havia uma crueldade em seu rosto que ele tinha ocultado durante o jantar.

— Precisamos passear com Devastação — anunciou Tamara, erguendo o queixo. — Se não formos, coisas ruins vão acontecer. Com o seu chão. E os seus tapetes.

Devastação ganiu. Mestre Joseph suspirou.

— Muito bem — disse ele. — Fiquem perto da casa.

Para surpresa de Call, o homem ficou parado e assistiu enquanto Tamara e Jasper abriam a porta da frente e — com olhares incrédulos um para o outro — saíam pela varanda. Ele conseguiu ver água ao longe; o rio que se colocava entre eles e o continente. A casa tinha o que provavelmente era considerada uma vista muito boa, mas Call estava mesmo começando a odiá-la.

Mestre Joseph ficou parado um instante conforme a porta se fechava atrás deles, depois virou-se e seguiu pelo corredor.

Call sentiu certo pânico ao se dar conta da escuridão da sala de jantar. Será que Mestre Joseph se importava tão pouco com Jasper e Tamara que os deixaria ir embora? Será que tentava demonstrar que podiam confiar nele? Ou havia algo horrível lá fora que os manteria presos... ou até mesmo os machucaria?

— Mestre — chamou uma voz.

Call deu um pulo. Uma sombra tinha saído da escuridão. Era o Dominado pelo Caos que havia se curvado a ele anteriormente.

Tinha o cabelo escuro e os olhos reluzentes de todos os Dominados pelo Caos. Mancava ao andar, provavelmente fora ferido antes de morrer. Às vezes era difícil para Call lembrar que os Dominados pelo Caos eram cadáveres que se locomoviam. Ele conteve um arrepio ao pensar que talvez não fosse difícil para outras pessoas.

— Leve-me para fora — ordenou. — De um modo que Mestre Joseph não perceba.

— Ssssim.

O Dominado pelo Caos virou, levando Call para fora da sala de jantar, e o conduziu por uma série de passagens. O menino viu rapidamente uma enorme sala com um ralo no chão, como um chuveiro, e outra cheia de prateleiras com elementais brilhantes presos em jarros. Call teve até mesmo a impressão de vislumbrar uma sala com algemas presas às paredes.

Caramba!

O Dominado pelo Caos o levou por um último corredor até uma porta que abria após o arrastar de diversos parafusos enferrujados. Além dela, ficava a lateral da casa e o gramado enorme.

Ele tinha conseguido.

Bosques cercavam o gramado, bosques de árvores estranhas. O ar também parecia frio demais para setembro. Deviam estar ao norte. Ele seguiu na direção do bosque, abraçando o próprio corpo. Poderia se preocupar com o frio depois.

— Certo — disse o menino ao Dominado pelo Caos, que o seguiu de modo perturbadoramente silencioso. — Vou esperar aqui. Vá até meus amigos, uma garota de boné, um lobo e um menino com um corte de cabelo estranho, e diga a eles onde me encontrar. Quero dizer, não com palavras. Eles não vão entendê-lo. Mas poderia apontar?

O Dominado pelo Caos o encarou com seus olhos espiralantes por um longo tempo. Call se perguntou se deveria ter feito a descrição de Tamara, Devastação e Jasper de outro jeito. Talvez os Dominados pelo Caos não tivessem uma compreensão do que era um corte de cabelo estranho. Talvez tivessem mau gosto.

— Ssssim — respondeu ele, novamente.

Apesar de parecer estranho, o Dominado pelo Caos também acalmou as preocupações de Call quando foi pesadamente até a frente da mansão.

Call sentou-se sobre um tronco próximo, observando a enorme construção. Apesar de todas as luzes que ele sabia estarem acesas, a casa parecia inteiramente escura e solitária — abandonada. Mais ilusões de magia do ar. Call teria que tomar cuidado para procurar por outras coisas que não estavam realmente ali.

Ele se sentia estranho em relação à partida. Não que quisesse ficar — não gostava de Mestre Joseph, detestava Alex, e Anastasia lhe dava arrepios —, mas também não gostava da ideia de voltar para a prisão. E, por mais que Tamara quisesse mantê-lo em segurança, ele não acreditava que isso fosse ser simples.

O mundo dos magos queria se vingar de Constantine e não se importava com o que lhe acontecesse.

Call tinha a sensação de que ninguém se importava com ele, apenas Constantine.

Ouviu o ruído de passos se aproximando, e conteve esse pensamento triste. Tamara se importava. Devastação se importava.

Jasper meio que se importava — ou, pelo menos, não pensava em Call como Constantine.

E Alastair se importava. Talvez Call e o pai pudessem deixar o país. Afinal, Alastair jamais quis que o filho caísse nas mãos dos magos... por esse exato motivo. Ele provavelmente estava preparado. E as vendas de antiguidades na Europa deviam ser muito especiais.

— Call! — chamou Tamara, correndo até o amigo. — Você conseguiu.

Jasper olhou para o Dominado pelo Caos e estremeceu. Nervoso, Devastação farejava o ar. Ao longe, ouviu-se um uivo.

— Ele pode nos ajudar mais — disse Call, apontando para o Dominado pelo Caos. — Leve-nos até a estrada maior e mais próxima.

— Ssssim — respondeu o Dominado pelo Caos. — Por aqqqui.

Preparando-se para mais uma longa caminhada no escuro com a perna doendo, Call se levantou.

Os cinco seguiram ao luar o mais rápido possível, Devastação checando o caminho à frente e depois voltando. Call ia atrás. Ele não estava mais acostumado a caminhadas. Seu único exercício ao longo de meses foi andar de um lado para o outro da cela, e ir até a sala de interrogatório. Sua perna ardia.

Por sorte, o Dominado pelo Caos seguia o ritmo de Call.

— Eles vão perceber que sumimos — avisou Jasper, com um olhar suplicante para o menino. — Virão atrás de nós.

— Estou indo o mais rápido que posso — sussurrou Call de volta, furioso. Ele detestava que isso estivesse acontecendo por sua causa, detestava ser quem desacelerava tudo.

— Não será fácil nos encontrar — argumentou Tamara, olhando fixamente para Jasper. — Eles não sabem que caminho tomamos. E aposto que não sabem que temos um guia conosco.

Call ficou grato por Tamara defendê-lo, mas ainda se sentia mal. Porém, logo se alegrou quando o terreno mudou para o asfalto preto de uma estrada ampla o suficiente para ter duas faixas.

Devastação latiu animado.

— Shhh! — pediu Call, apesar de ele próprio também estar animado.

Desceram pela colina.

— Hum — disse Call ao Dominado pelo Caos. — Acho que você vai ter que esperar aqui, tudo bem? Voltaremos para encontrá-lo.

O Dominado pelo Caos imediatamente parou de se mover, parando como uma estátua horrorosa. Call ficou imaginando se alguém passaria por ali e tentaria colocá-lo na mala de um caminhão, como Alastair frequentemente fazia com estátuas que encontrava nas margens das estradas.

— Se houver carros — sussurrou Jasper, enquanto se apressavam pela estrada, procurando por um local mais iluminado onde pudessem encontrar um veículo passageiro. — Deve haver uma ponte, um jeito de sair desta ilha...

Call não tinha pensado nisso, mas a lógica aliviou um pouco a pressão em seu peito. Talvez estivessem mais próximos da liberdade do que ele imaginara. Se houvesse uma ponte e eles conseguissem uma carona para atravessá-la, então praticamente estariam fora do alcance de Mestre Joseph. Ele olhou para a estrada... parecia deserta. Tinham dobrado uma esquina, então não conseguiam mais ver o Dominado pelo Caos.

De repente, luzes vieram em sua direção. Tamara engasgou de leve. Era uma van de entregas que dizia FLORES DAS FADAS com uma caligrafia desagradavelmente fofinha na lateral.

— Uma van de entrega de flores — anunciou Jasper, soando aliviado.

Parecia muito não sinistra, considerando todo o resto que havia naquela ilha.

Tamara correu para o meio da estrada, acenando. Poderia ter chamado mais a atenção com magia do fogo, pensou Call, mas isso teria aterrorizado uma pessoa comum.

A van parou, cantando pneu. Um homem de meia-idade, com cabelo curto e um boné virado para trás, colocou a cabeça para fora da janela.

— O que houve?

— Estamos perdidos — respondeu Tamara. Ela tirou o boné, deixou as tranças caírem e piscou os olhos inocentemente. Com aquele vestido em tom pastel, lembrava alguém que tinha fugido de uma caça a ovos de páscoa. — Remamos até a ilha para darmos uma olhada, mas nosso barco sumiu quando estávamos distraídos. Aí a noite caiu e... — Ela fungou. — Será que o senhor pode nos ajudar?

Call teve a impressão de que o *senhor* foi um pouco exagerado, mas o cara pareceu convencido.

— Óbvio — disse o homem, parecendo espantado. — Suponho. Hum, entrem, crianças.

Ao se aproximarem, ele esticou o braço pegajoso. Havia uma grande tatuagem preta em seu bíceps que lembrava um pouco um olho. Parecia estranhamente familiar.

— Ei, ei. O que é isso? — Ele apontou para Devastação.

— É meu cachorro — disse Call. — Ele se chama...

— Não me importo com o nome — interrompeu o cara. — O bicho é enorme.

— Não podemos deixá-lo. — Tamara olhou para o homem com olhos arregalados. — Por favor! Ele é manso.

E foi assim que Call se viu entrando com Jasper e Devastação na parte de trás vazia da van, que não tinha assentos, apenas piso de metal e paredes sem janelas. Hugo (o motorista) colocou Tamara sentada na cabine com ele. Ela lançou um olhar de desculpas para Call e Jasper quando Hugo puxou a porta de mental e os trancou lá.

— Traído — disse Jasper. — Mais uma vez, por uma mulher.

A van deu a partida. Call sentiu os músculos relaxarem assim que o automóvel começou a se locomover. Podia estar sentado no breu com Jasper, mas estava escapando de Mestre Joseph e de Alex.

— Sabe — começou ele —, esse tipo de atitude não vai ajudar a recuperar Celia.

Uma luz brilhou. Uma pequena brasa de magia do fogo, queimando na mão de Jasper, iluminou o interior do caminhão e a careta pensativa de seu criador.

— Sabe — retrucou Jasper —, não tem cheiro de flor aqui.

Assim que o garoto tocou no assunto, Call percebeu que ele estava certo. E não havia pétalas ou caules espalhados pelo chão perto de seus pés. Havia um cheiro na van, mas era químico; mais parecido com formaldeído.

— Não fui com a cara daquele sujeito — avisou Jasper. — Nem de sua tatuagem.

Call de repente se lembrou de onde já tinha visto aquele olho. Sobre os portões do Panóptico. O presídio que nunca dormia. Seu coração acelerou. Será que o homem era um guarda que deveria levá-lo de volta?

Da cabine, Call ouviu Tamara dizer:

— Não, por aí não. Não!

Hugo respondeu alguma coisa. Chegaram a uma estrada de terra e começaram a ir de um lado para o outro, de modo que Call não conseguiu identificar direito as palavras.

Então pararam. Após um momento, a traseira da van se abriu.

Mestre Joseph surgiu com uma expressão séria no rosto. Hugo os tinha levado de volta à fortaleza do Inimigo da Morte.

— Venha, Callum — disse ele. Sua voz estava tranquila e calma, mas Call pôde ver que as mãos estavam cerradas em punhos junto às laterais do corpo. Estava furioso, mesmo que não quisesse que Hugo notasse. — Precisamos conversar. Eu pretendia fazer isso amanhã em circunstâncias mais favoráveis, mas não posso permitir que fique vagando pela ilha.

Tamara desceu do banco do passageiro, parecendo derrotada. Call e Jasper saltaram da traseira, seguidos por Devastação, que colocou o focinho na palma da mão de Call, nitidamente confuso quanto a tudo o que estava acontecendo.

Infelizmente, Call entendeu bem demais. A prisão de Mestre Joseph não era só a casa; era a ilha inteira.

— Foi uma honra sequestrá-lo, senhor — disse Hugo a Callum, com um sorriso largo. — Você provavelmente não se lembra de mim, mas eu o vi no Panóptico. — Ele cutucou a tatuagem no braço. — Eu também estava lá, preso... desde a guerra. Muitos de nós estávamos. Mas, depois que você chegou, sabíamos que ficaria tudo bem. Nunca deixamos de acreditar em você, nem mesmo quando disseram que estava morto. Se alguém pode ressuscitar, esse alguém é o Inimigo da Morte.

Jasper e Call olharam para Tamara, que estava com a mão na boca. O ataque ao Panóptico não foi apenas para libertar Call, afinal. Mestre Joseph usou Anastasia para ajudá-lo a libertar também os seguidores de Constantine.

— Não quero ficar nesta ilha — disse Call. — Não acha que, se está me servindo, deve fazer o que desejo?

— Obrigado por trazê-los tão depressa — agradeceu Mestre Joseph, antes que as palavras de Call pudessem ter algum efeito sobre Hugo.

O motorista sorriu novamente, acenou com a cabeça para Call e subiu de volta na van.

— Boa sorte na recuperação das memórias — disse ele. — Em breve lembrará por que quer estar aqui.

Com o coração pesado, Call observou a van se afastar, levando consigo o plano de fuga.

Ele estava deprimido o suficiente para seguir Mestre Joseph de volta para a casa, com Tamara, Devastação e Jasper atrás. O homem tirou uma chave do bolso e destrancou uma saleta onde não tinham estado antes. Não parecia aquecida, estava tão fria quanto o ambiente externo. Havia portas duplas do outro lado da sala, e dois sofás, no centro.

Mestre Joseph indicou para que se sentassem, mas ele mesmo permaneceu de pé.

— Eu poderia retirar sua mágica e sua vida — ameaçou. — Poderia pegar seu poder para mim. Prefere que seja desse jeito?

— Se é isso que planeja fazer, então o que está esperando? — perguntou Call.

Tamara e Jasper se levantaram do sofá, como se achassem que uma briga estava por vir. Devastação rosnou.

Mas Mestre Joseph apenas riu.

— Tenho uma proposta para você... que tal? Callum, depois que completar a tarefa que eu lhe der, você pode deixar a ilha com seus amigos se ainda o desejar.

— Uma tarefa? — perguntou Call. — Isso é algum truque em que terei que domesticar um elemental impossível ou separar sujeira da areia de uma praia inteira?

Mestre Joseph sorriu.

— Nada do tipo.

Ele abriu as portas do outro lado da sala. Após um instante, Call e os demais se juntaram a ele na entrada.

Ali havia um grande cômodo pintado de branco. Não havia nada além de uma mesa de metal. Sobre ela, um corpo perfeitamente preservado, coberto até o pescoço por um fino lençol branco.

— A tarefa — anunciou ele — é despertar Aaron Stewart dos mortos.

## CAPÍTULO SEIS

Call ouviu o engasgo horroroso de Tamara. Jasper segurou a garota pelo braço quando ela cambaleou para trás. O próprio Call não poderia ter ajudado. Ele estava completamente congelado.

Era definitivamente Aaron na mesa. Estava deitado de costas. O cabelo louro fora penteado. Os olhos verdes estavam abertos e vazios.

Devastação inclinou a cabeça para trás e soltou um único uivo terrível de solidão, abandono e horror. Foi como se emitisse o som que Call não conseguia emitir. O uivo ecoou infinitamente nos ouvidos de Call, ali parado, seu corpo começando a tremer.

— Meu Deus, pare com esse barulho... — Era Alex Strike, surgindo com seu pijama preto de seda. Estava desarrumado, sonolento e irritado, mas a expressão logo se transformou em um sorriso. — Ah. Vejo que resolveu mostrar a eles o que *realmente* está acontecendo por aqui.

Tamara, Call e Jasper assistiram escandalizados enquanto ele ia até a mesa e puxava o lençol. Aaron vestia o que provavelmente planejaram que usasse no enterro — seu uniforme do Ano de Bronze. Alex tocou na pulseira que brilhava em um de seus punhos. Era ornamentada com pedras de heroísmo e pedras dos anos de Ferro, Cobre e Bronze. Além da pedra preta do caos, porque ele foi um Makar.

E que bem fez a ele, pensou Call, amargo. Alex roubara sua magia, e ele agora era apenas uma casca; uma casca que outrora guardou a vida, a animação, o caos e Aaron.

— Não toque nele — rosnou Call.

Alex soltou a mão de Aaron, que caiu pesada sobre a mesa.

— Morto — anunciou, alegremente. — *Muerto*.

— Acho que já entendemos — disse Jasper. — Obrigado.

— O que está acontecendo? — perguntou Tamara, com a voz engasgada. — Por que Aaron está aqui? O Magisterium vai notar que o corpo sumiu!

Da porta, Mestre Joseph os observava com uma tranquilidade sinistra. Então, veio em direção ao centro da sala, os olhos passando pelo corpo de Aaron, como se este fosse algo em uma placa de petri.

— Ah, eles já sabem. Aaron foi tirado de lá há algum tempo. Não foi divulgado porque não seria conveniente que o mundo dos magos ficasse sabendo que eles estragaram tudo nesse quesito também. Perder o cadáver de um Makar depois de terem passado três anos sem perceber que o Inimigo da Morte estava entre eles? A Assembleia explodiria.

— Em defesa de Call — disse Jasper —, não teria sido muito fácil adivinhar que ele era o IDM. Ele é muito astuto.

Depois de muito ser puxado, Call soltou Devastação. Estava entorpecido demais para se preocupar se o animal atacaria Mestre Joseph, tentando mordê-lo no rosto ou não.

Mas ele não o fez. Em vez disso, Devastação foi até a mesa onde estava o corpo de Aaron, soltou um ganido triste e se deitou ali embaixo.

— Não entendo — disse Tamara, segurando as lágrimas.— Qual é o objetivo disso tudo? Ninguém pode ressuscitar os mortos! Constantine não conseguiu, e é por isso que temos os Dominados pelo Caos.

— Constantine *podia* ter conseguido — revelou Mestre Joseph. — Ele estava a poucos dias desse avanço quando a Terceira Guerra dos Magos eclodiu. Depois, por causa do Massacre Gelado, foi forçado a recomeçar. Mas ele... você... pode fazer isso agora. O conhecimento estava em sua alma, e a alma de Constantine está aqui, em você, Call!

Call olhou para Aaron sobre a mesa. Pela primeira vez, o que Mestre Joseph estava dizendo não parecia tanta loucura. A morte era terrível; Alastair ainda sofria por Sarah, e já fazia mais de uma década desde sua morte. Call teria gostado de ter uma mãe, mesmo que ela tivesse algumas reservas em relação ao próprio filho. E todas as pessoas que o detestavam, assim se sentiam porque Constantine Madden havia lhes tirado alguém. Se ele, Callum Hunt, realmente pudesse reviver os mortos — não pela metade, como aqueles Dominados pelo Caos assustadores, mas de verdade, realmente trazê-los de volta à vida —, elas o perdoariam. Perdoariam qualquer coisa.

E ele poderia ter seu melhor amigo outra vez. Aaron, vivo e rindo. Aaron renascido. Tamara não teria que se preocupar com ter feito a escolha errada ao salvá-lo. Call poderia parar de sentir saudades. Tudo poderia voltar a ser como antes.

— Eis o acordo que estou preparado a fazer — prosseguiu Mestre Joseph. — Callum, você fica aqui e trabalha a fim de trazer Aaron de volta dos mortos. Alex vai ajudá-lo, considerando que ele foi o arquiteto desse acidente infeliz.

Call ia começar a dizer que a morte de Aaron não tinha sido acidente e que Alex era um assassino, mas Mestre Joseph continuou falando:

— Você terá acesso às anotações de Constantine e à minha experiência. Depois que ressuscitar Aaron, pode escolher assumir seu destino e vencer a morte... ou ir embora de vez. Se escolher ir embora, Callum, terá minha permissão. Aceitarei que não tem Constantine Madden o suficiente em você e o libertarei de sua sina.

Por um instante, Call não teve certeza se estava escutando direito. Após todo esse esforço, Mestre Joseph simplesmente o deixaria ir?

— E quanto a Tamara e Jasper? — perguntou. — E Aaron?

— Todos vocês — prometeu Mestre Joseph. — Tamara, Jasper, Aaron, Devastação. Todos podem ir. Isso é tudo que peço: você leva Aaron até a Assembleia e mostra a eles do que somos capazes. Se ainda quiserem guerra, que seja. Mas tenho a sensação de que ver uma pessoa amada ressuscitada fará com que mudem de ideia. Porque, se você puder trazer de volta seu amigo, poderá trazer também os amigos deles. Os maridos e as esposas. Os pais. Os filhos. *Todo mundo* perdeu alguém. Todo mundo, bem no fundo do coração, gostaria de ter um pouco mais de tempo para viver.

Tamara pigarreou. Tinha parado de olhar para o corpo de Aaron em cima da mesa, embora Call soubesse que ela queria fazê-lo.

— Parece justo — disse ela.

Call sentiu uma onda de alívio. Estava feliz por não estar sozinho. Se Tamara queria, então tudo bem ele também querer.

— Mas Callum — prosseguiu Mestre Joseph. — Se você sentir que seu coração balançou com o que fez, se concluir que os membros da Assembleia são os covardes que são, temerosos quanto a mexer nas profundezas da magia do caos e com medo de permitir que qualquer pessoa o faça, então terá que ficar conosco. Tamara e Jasper, eu os treinarei enquanto estiverem aqui. Precisamos de jovens magos inteligentes como vocês. Vocês ouviram muito sobre os seguidores do Inimigo da Morte. Provavelmente foram convencidos de que somos vilões, mas, depois que tiverem passado algum tempo aqui, podem nos enxergar de outra maneira, assim como conseguiram separar Call das histórias horrorosas que correm sobre Constantine Madden.

— Você vai nos treinar? — indagou Jasper. — Em quê?

Mestre Joseph sorriu para eles.

— Talvez você tenha se esquecido de que já fui professor no Magisterium. Desenvolvi muitos grandes aprendizes, a maioria completamente desinteressada pela magia do caos. Fui professor dos pais de alguns dos atuais alunos do Magisterium.

Call imaginava que esses pais não estariam se gabando agora de terem sido alunos de Mestre Joseph. Ficou imaginando se os filhos saberiam.

— Você aceita o acordo? — perguntou Mestre Joseph a Call.

O garoto olhou para o corpo do amigo e quis dizer sim. Se houvesse alguma chance de trazer Aaron de volta, ele queria aceitar.

Mas aquilo não representava apenas muitos pontos em sua lista de Suserano do Mal. Era basicamente a lista em si. Toda ela. Dizer sim o tornaria um Suserano do Mal. E não um Suserano do Mal qualquer. Aquilo o tornaria o Inimigo da Morte.

Mesmo assim, Tamara não tinha se oposto... e não estava se opondo agora. Nem Jasper estava falando nada contra a ideia. Eles também queriam Aaron de volta. Call sabia disso. Constantine quis trazer de volta o irmão, mas aquilo fora diferente. Porque Aaron era uma boa pessoa. Não deveria estar morto.

— Sim — respondeu Call. — Eu faço. Eu o trarei de volta.

O sorriso de Mestre Joseph foi radiante. Alex encarou Call ameaçadoramente.

— Existe apenas uma complicação que não mencionei — disse Mestre Joseph.

— Você não pode mudar o acordo — insistiu Tamara.

— Ah, não. Nada desse tipo. — Qualquer traço amigável tinha deixado de existir em Mestre Joseph. Ele parecia duro, frio e assustador, assim como quando Call o conheceu. — É só o seguinte: se fugirem outra vez, destruirei o corpo de Aaron de modo que não haverá mais chance de trazê-lo de volta. Se fugirem depois disso, mato um de vocês. Cumprirei os termos do acordo, desde que os três cumpram suas partes.

Jasper respirou fundo.

— Não pode matar Call — argumentou ele. — Você precisa dele. É seu mago do caos.

— Alex também tem o poder do caos agora — respondeu Mestre Joseph, com a mesma voz assustadora. — E nós temos o Alkahest. Não só matarei Call se precisar, como disponho dos meios para isso. E para me apossar de seu poder.

Call pensou nas palavras sinistras de Mestre Joseph no jantar: *Vamos dar a Call a oportunidade de descobrir quem ele é; se isso não acontecer, eu arrancarei seu poder pessoalmente.*

— Tenho certeza, porém, de que não chegaremos a tanto. Agora, vão se deitar. — A expressão assustadora desapareceu, e Mestre Joseph voltou ao normal. Ao normal dele, ao menos. — Iniciaremos nossos estudos pela manhã.

O grupo foi conduzido para longe do corpo de Aaron, e a porta, trancada ao saírem.

Com uma última olhada para trás, Call seguiu para a escada. Ao subir, sentiu-se completamente exausto. Tinha começado o dia na prisão e, no fim, concordado em fazer a única coisa que achou que jamais poderia: tentar ressuscitar os mortos.

Quando chegou ao topo da escada, se dirigiu à porta do quarto e não teve certeza se conseguiria encarar. Virou-se para Tamara, que se encaminhava para o dela.

— Posso dormir no chão do seu quarto? — perguntou. — O seu é o único que não dá arrepios.

— Eu também? — pediu Jasper, pegando carona na ideia.

Tamara sorriu timidamente.

— Sim. Seria ótimo.

Jasper desapareceu a fim de pegar suas coisas para dormir. Call fez o mesmo. Colocou um pijama e foi arrastando seu colchão até o quarto cor-de-rosa, onde o ajeitou ao pé da cama.

Tamara estava perto da janela, usando um pijama branco de rendinha. Ela levantou os olhos quando Call entrou, e ele notou quanto ela parecia abalada.

Ele parou onde estava. Tamara parecia ter perdido todo o seu espírito de luta.

— O q... o que foi? — perguntou ele.

— Aaron. É horrível que ele tenha morrido, mas Mestre Joseph roubar seu corpo... o jeito que ele *estava*, todo branco e frio naquela mesa...

Os pés do garoto se moveram inconscientemente. Ele não podia deixá-la ali, parecendo tão arrasada. Então, atravessou o quarto em direção a ela e esticou a mão, com a intenção de afagar seu ombro. Mas, assim que chegou perto, Tamara o abraçou e afundou o rosto em seu peito.

Call ficou chocado, mal conseguia respirar. Seu coração parecia um balão desamarrado, voando pelo peito. Ele a abraçou com gentileza, seu corpo frágil e morno. Call às vezes se esquecia de quanto ela era pequena, pois a coragem a deixava enorme a seus olhos.

Tamara cheirava a sabonete e sol. Ele queria respirá-la, mas reconhecia que isso pareceria um comportamento estranho e possivelmente assustador.

Pensou nas palavras de Anastasia, e, apesar do horror da situação que tinham acabado de vivenciar, sua pulsação acelerou tanto que ele temeu que Tamara pudesse notar.

— Call — disse ela, com a voz abafada. — Tive medo de que, após a morte de Aaron, você não quisesse mais ser meu amigo.

O coração do garoto bateu forte.

— Tive o mesmo medo.

— Mas não é verdade, certo? — Ela o encarou, com preocupação. — Ainda somos amigos. Sempre seremos, independentemente de tudo.

Ele se flagrou afagando gentilmente o cabelo de Tamara. Acariciando, até. Sentia-se outra pessoa, não Callum Hunt. Alguém que merecia a consideração de Tamara Rajavi.

— Sim — assegurou, surpreso e ligeiramente apavorado com as palavras que lhe saíam da boca. — Desde que te conheci...

A porta abriu, e Tamara e Call se afastaram quando Jasper entrou apressado, vestindo um pijama com estampa de cavalo e arrastando um cobertor. Ele se enrolou na coberta ao lado da cama de Tamara, que voltou para sentar-se à beira do colchão. Call, parecendo indiferente, deitou em sua cama improvisada.

— Eu estava falando agora com Call — disse Tamara. — Precisamos ter cuidado. Muito cuidado.

— Isso é novidade? — perguntou Jasper.

— Mestre Joseph está cogitando extrair o poder de Call com o Alkahest — alertou Tamara, dirigindo-se a Call. — Pense só: Mestre Joseph poderia ser *ele mesmo* o Inimigo da Morte. Não precisaria tentar obrigar Call a fazer o que ele quer; ele mesmo poderia fazer.

— Mas ele valoriza a alma de Constantine — observou Jasper.

— Eu sei — disse Tamara. — Ele definitivamente acha que Call tem mais chance de despertar os mortos, do contrário já teria retirado seu poder. Por isso Call foi esperto o suficiente para fingir a Mestre Joseph que ressuscitaria Aaron.

*Fingir?* Call, que sentia como se estivesse flutuando, agora tinha caído de volta à Terra. Tamara achava que ele estava *fingindo* para Mestre Joseph, que não tinha sido sincero quando falou sobre trazer Aaron de volta? Mas isso jamais havia passado pela cabeça dele. Call achou que estivessem em sintonia. Acreditou que, pela primeira vez na vida, não estivesse fazendo a coisa errada.

Estavam tão próximos há um instante. Agora tudo parecia errado, como se ele de algum modo a tivesse enganado.

— Vamos dar um jeito de sair daqui — disse Tamara a ele. — E vamos tentar descobrir uma forma de conseguir o Alkahest. Se pudéssemos roubá-lo ou, melhor ainda, destruí-lo, você ficaria muito mais seguro. Você só precisa fingir que está tentando despertar Aaron enquanto isso.

— Sim! — disse Call, com mais força do que pretendia. — Fingir. Definitivamente. Era exatamente isso que eu ia fazer.

Mas, enquanto se permitia relaxar para dormir, com o corpo quente de Devastação ao seu lado, ele já sabia que estava mentindo. Call ainda traria Aaron dos mortos.

Talvez não fosse a coisa certa, mas, se tudo pudesse voltar a ser como era antes, se Aaron estivesse vivo e todos pudessem ser felizes, ele não se importava com certo ou errado.

# CAPÍTULO SETE

O café da manhã no dia seguinte foi servido por Dominados pelo Caos, como se Call e os outros estivessem estudando no colégio interno mais estranho do mundo. Os Dominados pelo Caos pousavam as louças com força, como se estivessem derrubando pedras, fazendo com que ocasionalmente a comida caísse e fosse direto para a boca de Devastação. Mesmo assim, a mesa estava farta, com torradas cheias de manteiga, bacon, ovos mexidos, suco de laranja fresco e aveia.

Tamara e Jasper estavam muito bem-comportados, aparentemente tentando convencer Mestre Joseph de que Seguiam Seu Plano. Ela usava um vestido azul-claro, com apenas parte das rendinhas arrancadas, e havia cavalos na camisa e na calça de Jasper.

Alex também estava lá, embora não tivesse comido nada, apenas tomado café preto. Call tinha a impressão de que Alex também tinha uma lista de Suserano no Mal, mas sua pontuação funcionava de outro jeito. Ele provavelmente se dava um ponto cada vez que se vestia todo de preto ou ameaçava crianças. Talvez uma estrelinha dourada se fizesse os dois ao mesmo tempo.

Após o café, Mestre Joseph levou Jasper e Tamara para as aulas na biblioteca, enquanto Alex — agitado por causa do café — e Call voltavam para a sala onde haviam deixado o corpo de Aaron.

Não se falaram no caminho. Call estava resignado quanto a ter que passar algum tempo com Alex, apesar de não haver ninguém no mundo a quem ele odiasse mais. Alex passara anos mentindo para ele, havia matado seu melhor amigo, lhe tirado Aaron. Call não lamentaria vê-lo morto. Sabia que era uma postura bem Suserana do Mal, mas aceitava; mesmo enquanto lembrava a si mesmo de que Alex era o caminho *de volta* até Aaron. Ele sabia mais que Call sobre os métodos de Constantine.

Call não conseguia decidir se estava aliviado ou não quando descobriu que o corpo de Aaron tinha sido levado. Em vez dele, havia uma mesa de metal diferente na sala. Nela, pairava algo pequeno, duro e morto.

Call se retraiu.

— Eca. O que é isso?

— É um arminho comum de jardim — respondeu Alex, andando de um lado para o outro atrás da mesa. — Temos que ressuscitá-lo. Para praticar. — Ele ergueu uma sobrancelha ao ver a expressão de Call. — Isso é necromancia, Callum. Pode ser confuso e perigoso. Se o corpo de Aaron for danificado, não terá conserto.

— Como Mestre Joseph roubou o corpo de Aaron? — quis saber Call, enquanto Alex ia até uma prateleira e pegava dois pares pesados de luvas de lona. Entregou um par a Call e pegou o outro.

— Anastasia estava no Magisterium após o enterro. — Ela combinou com Mestre Joseph de soltar um elemental do ar, e esse elemental veio carregando o corpo até aqui. — Alex sorriu enquanto vestia as luvas pretas. — Aposto que deu para ouvir aqueles Mestres gritando por todo o sistema de cavernas.

— Então, você não sente falta, eu suponho — disse Call, vestindo as próprias luvas. — O Magisterium. Kimiya.

— Kimiya? — Alex gargalhou. — Acha que estou sofrendo por Kimiya? Acha que me sinto mal por ter mentido?

— Suponho que teria sido constrangedor dizer a ela que você era um assassino em conluio com Mestre Joseph — argumentou Call.

Alex ergueu uma sobrancelha.

— Não vi você por aí revelando a todos o seu segredinho, *Constantine*.

— Bem — disse Call. — Agora todos sabem.

Alex lançou um olhar estranho para ele.

— Sim, sabem. E Kimiya sabe sobre mim. — Ele se inclinou sobre o arminho. — Então.

— Então — ecoou Call. — É hora de compartilhar sua sabedoria. Como se desperta os mortos?

— Anastasia disse que você despertou Jen Matsui — comentou Alex.

— Sim, mas ela ficou... Dominada pelo Caos. — Call estremeceu. — Toda errada.

— Ela conseguiu responder perguntas. Dominados pelo Caos não conseguem fazer isso. É um começo.

Call franziu o rosto para Alex. Certamente os Dominados pelo Caos conseguiam responder perguntas. Eles podiam falar! Será que isso significava que Alex não conseguia ouvir os dele?

Agora que Call estava pensando no assunto, era estranho que Jen tivesse voltado e que todos conseguissem ouvi-la. Será que isso significava que Call tinha feito algo diferente com ela, algo que Alex não fazia com os próprios Dominados pelo Caos?

Call estendeu suas mãos enluvadas.

— Pensei que você fosse o especialista aqui. Achei que estivesse praticando com seus "métodos de Constantine", ou seja lá o que for.

— Sei muita coisa — disse Alex, irritado. — Para começar, somos magos do caos. O caos é uma energia instável. Nosso instinto é pegar esse caos e colocá-lo em um corpo vazio, sem alma. É assim que se obtém os Dominados pelo Caos.

— Aham. — Call estava acompanhando, apesar de a parte do instinto ser arrepiante.

— Mas todo elemento tem acesso a seu oposto. E o oposto do caos é a alma. A parte humana que faz as pessoas serem o que são. Arminhos também. — Alex parecia estar se divertindo. — Temos que alcançar algum lugar, encontrar uma alma de furão para esse furãozinho e colocá-la de volta em seu corpo, assim como Constantine colocou a alma em você.

— Certo — concordou Call.

Ele se lembrou de como foi procurar pela alma de Jennifer Matsui. Call e Aaron tinham capturado traços da menina para fazê-la falar, mas, depois, isso começou a desbotar, voltando ao nada. Ele a tinha segurado, mas Jen se partira em pedaços. Como tinha canalizado sua magia naqueles pedacinhos brilhantes para sustentá-la.

Jen havia acordado Dominada pelo Caos.

— Certo — disse Alex, como se Call não estivesse ouvindo.

— Só isso? — perguntou o garoto.

Horrorizado, Call percebeu que Alex não sabia mais que ele sobre trazer algo de volta dos mortos.

E o que significava isso quando Alex deveria estar estudando os métodos de Constantine e Call tinha encontrado a mesma técnica — ou possivelmente uma melhor? Será que Mestre Joseph estava certo em relação a Call; será que ter a alma de Constantine *automaticamente* o fazia melhor em despertar os mortos?

Alex o encarou com uma expressão de superioridade.

— Pode achar que não é muito, mas não é tão fácil quanto parece.

Call suspirou.

— Eu já tentei.

— O quê? — Alex franziu o rosto. — Não tentou...

Call não gostava de Alex, nem de sua atitude.

— Foi assim que trouxe Jennifer de volta. Eu não pretendia que ela voltasse Dominada pelo Caos. Mas não tinha sobrado o suficiente de sua alma.

Por um momento, Call achou que Alex fosse lhe bater.

— Eu sei de coisas, sei *segredos* — disse ele, apontando o dedo para Call.

Mas estava nítido que não sabia de nada.

— Se o que você está falando realmente funcionasse, então não teríamos que conduzir nenhum experimento. Mestre Joseph disse que Constantine estava prestes a fazer uma descoberta, não que a tinha feito. — Call suspirou. — Quero ver seus cadernos pessoalmente.

— Por quê?

Nada naquela situação ia de acordo com a vontade de Alex, mas ele evidentemente não estava disposto a ceder um palmo.

Call estava cansado de discutir.

— Se você não me deixar vê-los, Mestre Joseph com certeza vai.

— Vamos simplesmente tentar trazer esse arminho de volta — declarou Alex. — Vamos... concentre-se.

— Não sei... — disse Call.

— Então, eu mesmo faço. — Alex fechou os olhos com força, como se estivesse tentando estourar uma veia na testa.

Call podia sentir a magia do caos no ar, quase podia sentir o cheiro, como um vento quente.

O animal começou a se mexer. Seu corpo inteiro estremeceu. As patas traseiras giraram. Os bigodes balançaram. E, depois, ele abriu seus olhos de redemoinho.

Dominado pelo Caos.

Alex abriu os próprios olhos com expectativa, mas, quando viu o que estava na mesa, socou a parede.

— Você devia ter me ajudado — acusou. — Precisamos é de mais poder!

O arminho saltou da mesa e corria para a porta quando Devastação acordou e começou a persegui-lo. Call ouviu alguma coisa bater, e, depois, um grito agudo.

— E de um arminho diferente — disse Call a Alex, jurando jamais permitir que ele chegasse perto do corpo de Aaron.

↑≈△○@

Decidiram fazer uma pausa para o almoço, apesar de Call não estar exatamente com fome. *Várias horas com um arminho morto dão nisso*, pensou.

Enquanto Alex ia para a sala de jantar, Call desviou até a cozinha a fim de preparar uma refeição rápida... Tudo para não ter que ver Alex enquanto comia. Ali, ele encontrou um jovem rapaz colocando material de chá em uma bandeja.

— Olá — cumprimentou o jovem.

Call, não querendo ser grosso, respondeu:

— Oi.

Ao ver a confusão de Call, o jovem riu sem malícia e disse:

— Meu nome é Jeffrey, e eu ajudo por aqui. Não passei nas provas para entrar no Magisterium, mas Mestre Joseph ofereceu me ensinar assim mesmo, em vez de cortar minha magia.

— Ah — disse Call.

Ele precisava admitir que era uma boa maneira de obter recrutas, apesar de Call não saber ao certo quanta magia podiam aprender. Mas e se a resposta fosse muita? Call pensou em Hugo dirigindo o caminhão, em todos os prisioneiros no Panóptico, e ficou imaginando quantas pessoas havia na ilha.

— Você é Callum, certo? — perguntou Jeffrey.

— Sou.

— Venha comigo. Tarquin queria que eu o levasse até ela quando saísse da aula.

Call não sabia exatamente o que Jeffrey achava que estava fazendo, mas foi até uma saleta vitoriana onde o jovem repousou a bandeja com sanduíches sobre uma mesa, entre duas poltronas grandes de veludo.

Havia uma janela grande com vista para o gramado verde, onde um Dominado pelo Caos guiava um cortador de grama seguindo um padrão estranho. Na saleta encontrava-se Anastasia, vestindo mais um de seus terninhos brancos. Ela indicou que Call se sentasse na poltrona a sua frente.

Jeffrey saiu, e o garoto se sentou em uma das poltronas, sentindo-se desconfortável. A bandeja prateada de bolos com coberturas e sanduíches cortados e sem casca estava entre eles. Call pegou um de salada de ovo e o segurou com cuidado.

— Você deve estar bravo comigo — comentou Anastasia.

— Você acha? — ele deu uma mordida no sanduíche. Em geral, preferia líquen. — Porque mentiu para Tamara, nos traiu e deixou que Mestre Joseph nos sequestrasse? Por que eu ficaria bravo com isso?

Os lábios da mulher se enrijeceram.

— Call, você estava no Panóptico. Precisei fazer o que podia para tirá-lo de lá. Acha que haveria liberdade para você? Não. Você teria sido perseguido pelos magos assim que se dessem conta de que você desaparecera.

— Não vejo diferença entre ser pego por eles ou por você e Mestre Joseph. Isso aqui é só uma prisão com sanduíches.

— Ao longo da vida, aprendi que alianças não importam. Você pode ser destruído por aqueles que se autointitulam bons tão facilmente quanto por aqueles que são mais nitidamente egoístas. Tudo o que importa para mim, Call, é que você permaneça vivo e seguro. — Anastasia se inclinou para a frente. — Obedeça Mestre Joseph. Ele vai ajudá-lo a despertar Aaron dos mortos. Depois, quando o tiver de volta, você pode ir até o Magisterium e mostrar o que fez. Realmente acha que eles rejeitarão um dom desses? Todo mundo odeia a morte, Call.

— Mas nem todo mundo tem que ser inimigo dela.

Ela balançou a cabeça.

— Você não entende. Estou dizendo que vão aceitá-lo. Receberão você como seu Makar, assim como vão receber sua magia e usá-la para trazer de volta os próprios entes queridos. Você não correrá mais perigo.

— Não sei se isso vai funcionar — murmurou Call, mas Anastasia não pareceu ouvir.

— Enchi seu quarto com seus pertences... pertences de Constantine. Sei que ainda está lutando contra quem você é. É irônico, porque Con sempre foi teimoso. — Os olhos de Anastasia estavam suaves enquanto ela o encarava. — Você passou tanto tempo enterrando quem é. Deixe as fotos e as roupas o cercarem... deixe que sua alma se lembre. — A mulher suspirou. — Queria poder ficar. Contaria histórias sobre você todos os dias, sobre o que Constantine fazia quando era pequeno.

Isso parecia a pior coisa que Call podia imaginar.

— Você vai embora? — perguntou ele, cauteloso.

— Tenho que voltar ao Magisterium e contar a eles uma boa história sobre como você foi levado, e como escapei com vida. Com sorte, serei convincente o bastante para conseguir ficar de olho em seus planos por mais um tempo.

— E se eu não conseguir fazer o que Mestre Joseph quer? — perguntou Call, pensando no corpo frio de Aaron sobre a mesa. Sim, ele queria seu amigo de volta, mas não permitiria que Alex o despertasse como um Dominado pelo Caos. Faria o que precisasse ser feito para garantir que isso nunca acontecesse. — Constantine não conseguiu ressuscitar os mortos... talvez eu também não consiga. Se eu fracassar, Mestre Joseph vai usar o Alkahest para tirar meu poder.

Anastasia lhe lançou um olhar penetrante.

— Mestre Joseph precisa de você. Ele só vai usar o Alkahest para extrair seu poder se ficar encurralado. Não o coloque nessa posição, Call. Ele precisa de nós... e nós precisamos dele.

— Você não se importa que ele me ameace? — perguntou Call. — Não acha que deveríamos nos preocupar?

— Se eu achasse que existisse um lugar mais seguro para ir, eu iria. Mas sua alma, essa alma inquieta, jamais foi feita para ter paz, Con. Ela foi feita para ter poder. — Anastasia se aproximou de Call. — Você é poderoso. Não pode simplesmente desistir desse poder. O mundo não permitirá. Não permitirá que você se esconda por medo de se ferir. No fim, pode ser que você chegue a essas duas opções: governar o mundo ou ser esmagado por ele.

Isso pareceu sombrio e dramático, mas Call apenas assentiu, tentando parecer pensativo em vez de assustado. Anastasia o tocou uma vez na bochecha, saudosa, e depois se levantou.

— Tchau, meu querido.

Por mais estranha que ela ficasse perto de Call, e por mais que ele não quisesse ouvi-la falar o tempo todo sobre quanto ele se parecia com Constantine, o garoto ficava um pouco triste com sua partida. Anastasia queria que ele *fosse* seu filho perdido, e isso não era possível, mas, pelo menos, ele sentia que ela estava mais ou menos do seu lado.

Mestre Joseph não estava, independentemente de quanto fingisse. Call comeu o resto do sanduíche de salada de ovo sozinho, assistindo enquanto o Dominado pelo Caos empurrava o cortador de grama para o rio.

Depois disso, procurou por Jasper e Tamara pela casa, torcendo para que conseguisse persuadir Mestre Joseph a que todos tivessem lições juntos. Como não os encontrou, voltou para a sala de treinamento. Alex estava lá com dois novos arminhos parcialmente descongelados.

Call se sentiu um pouco enjoado.

— Aqui — disse Alex, jogando violentamente um caderno preto com folhas de anotações extras sobre a mesa. — Este foi o último caderno de Constantine. E, se quiser ver os outros, não precisa ir muito longe para procurar. Estão em seu quarto, nas prateleiras, exatamente como Mestre Joseph e Anastasia insistiram.

— Obrigado — agradeceu Call, com má vontade, pegando o caderno.

— Agora é sua vez — disse Alex, apontando para as pequenas criaturas sobre a mesa.

Call olhou para os arminhos. Não tinha certeza se seria capaz. Mas queria Aaron de volta. E, se houvesse alguma chance...

Ele alcançou a magia do caos e a direcionou a uma das criaturas. Pôde sentir o frio remanescente ali, os resquícios prateados de onde a alma estivera. Alguma coisa ainda permanecia.

Tentou capturá-la, tentou aquecê-la e trazê-la à vida. Mas havia muito pouco. No desespero, tentou inflar o possível. *Precisamos de mais poder*, havia dito Alex.

Call respirou fundo, reunindo o caos dentro de si, alcançando na escuridão, na violência e no movimento em redemoinho que só um Makar conseguia enxergar. Ele agarrou o caos, como se estivesse fazendo isso com as duas mãos, empurrando-o desesperadamente para a alma inflada do animal, como se estivesse tentando acender uma fogueira no meio de um campo de gelo.

Call sentiu a faísca ativar e crescer...

Alex gritou. Call se abaixou quando um barulho alto ecoou pelo recinto. Quando se levantou novamente, pontos pretos dançavam diante de seus olhos. Ele se sentiu fraco e exausto, drenado de toda energia e magia.

Alex o olhou, furioso. Estava todo respingado de pedaços de algo impronunciável que Call não queria especular.

— Você explodiu o arminho — disse Alex.

— Explodi?

Call estava impressionado, mas a infeliz evidência se espalhou por todos os lados. Ele se livrara do pior indo para baixo da mesa, mas Alex e seu jeans de grife não tiveram a mesma sorte.

Alex tirou as luvas e as jogou sobre a mesa.

— Por hoje já deu.

Ele saiu irritado, e, após um minuto, Call o seguiu. Ninguém queria ficar sozinho em uma sala com dois arminhos mortos, um deles aos pedaços.

Torceu para que Jeffrey não ficasse encarregado da limpeza.

↑≈△○@

— Como foi? — perguntou Mestre Joseph durante o jantar.

Todos se reuniram na sala de jantar outra vez, apesar de a cadeira de Anastasia continuar vazia. A mesa estava farta de comida: salada de batata, repolho, costelas brilhando com molho picante, grãos caramelizados, couve verdinha. Jasper já tinha comido um pedaço inteiro de costela.

— Call explodiu um arminho — contou Alex.

Ele parecia muito limpo, como se tivesse tomado um banho, e depois outro.

— Não se pode esperar acerto logo no começo — relevou Mestre Joseph, mordendo uma costela. — Mas espero que vá evoluindo aos poucos.

— Tenho certeza de que outra pessoa poderia se sair tão bem nisso quanto Call — argumentou Alex.

Ele olhava fixamente para Mestre Joseph. Parecia querer transmitir sua esperança de que o homem fosse extrair de uma vez os poderes de Call com o Alkahest para poderem dar continuidade a partir dali.

— Tenho certeza de que não — respondeu Mestre Joseph, apesar de ter enrijecido a mandíbula. Call o observou fascinado.

Será que ele realmente queria usar o Alkahest e tomar a magia do Caos para si? Primeiro viveu à sombra de Constantine e, agora, estava à de Call. Será que isso o incomodava? Era difícil dizer; sua voz soou calma quando Mestre Joseph retrucou:

— Nunca tivemos dois Makars trabalhando nesse projeto antes. Até Constantine fez isso sozinho.

*Definitivamente estou sozinho*, pensou Call. Alex era pior que nada. Mas Alex apenas lançou a ele um sorriso desagradável.

— Continuaremos amanhã — disse o garoto.

Depois do jantar, Tamara e Jasper foram para o quarto de Call trocar informações sobre os respectivos dias. Mestre Joseph os havia ensinado a formar superfícies sólidas e inquebráveis a partir de ar e água.

Mas, depois de conhecer Jeffrey, Call se dera conta de que não eram os únicos com aulas por ali. Havia outros magos, outros grupos. Hugo lecionava para dez jovens alunos, e Tamara e Jasper viram pelo menos mais quatro grupos de aprendizes; grupos maiores que os permitidos no Magisterium. Jeffrey provavelmente também estava ensinando.

— Mas ele não nos deixou fazer nada afiado — revelou Jasper. — O que acho que faz sentido, já que não nos quer armados. Achamos que tem alguma espécie de elemental do ar formando barreiras de proteção em volta do Alkahest; uma espécie de guardião. — Ele forçou um sorriso. — Mas tudo bem. Vamos dar um jeito de passar.

— E você, Call? — Tamara parecia ansiosa. — Foi muito ruim?

Call se deteve perto de uma prateleira de livros. Nela, havia inúmeros retratos de Constantine e seus amigos. Era difícil não perceber que, em todas, o rapaz aparecia rindo no centro de um grupo. As pessoas sempre o procuravam com o olhar.

— Foi tranquilo — mentiu. — Só estou fingindo mesmo.

— Vou tentar me aproximar de Mestre Joseph — revelou Jasper. — Agir como se estivesse começando a me interessar por toda essa coisa do mal, para ver se ele me conta as coisas. Até porque seu plano não pode ser simplesmente trazer Aaron dos mortos. Isso não basta para dominar o mundo.

— Acha que ele tem um exército? — perguntou Call. — Quero dizer, além dos prisioneiros e dos alunos. Um exército de Dominados pelo Caos?

— *Todo mundo* acha que ele tem um exército — respondeu Jasper. — Mas todos nós achávamos que o Inimigo da Morte ainda estava vivo, criando mais e mais Dominados pelo Caos. Se a única pessoa que pode fazer mais deles for mesmo Alex, então, talvez, o exército não seja tão grande assim.

Call olhou para eles e viu Tamara observando uma foto em sua cabeceira: Constantine e os pais.

— É engraçado vê-los assim — comentou Tamara. — Nunca daria para saber que um desses aprendizes arrasaria o mundo dos magos.

Call olhou para o espelho. Ele não tinha se lembrado de escovar o cabelo de manhã, e havia uma mancha de molho em sua camisa. Ele também não parecia grande ameaça, mas tinha a desconfortável sensação de que as próximas semanas definiriam seu destino.

Apesar de terem se reunido no quarto de Call, foram todos para o de Tamara na hora de dormir. Enquanto os outros caíam no sono, o garoto se flagrou olhando para o teto, com seu lobo encolhido ao lado. *Sua alma*, dissera Anastasia. *Sua alma inquieta nunca foi feita para ter paz.*

*Você não me conhece*, pensou Call. *Não conhece minha alma.* Ele rolou e fechou os olhos com força, mas ainda demorou muito a adormecer.

# CAPÍTULO OITO

Alex podia ter esperado por coisas grandiosas, mas o segundo dia foi pior que o primeiro. Call passou metade do tempo olhando as anotações de Constantine, feitas em colunas organizadas que deixaram o menino desesperado quanto à própria caligrafia. Se você precisava ter a alma de alguém, pensou Call, seria legal ter a caligrafia incrível dessa pessoa também. Constantine anotara muitos números, indicando experimentos e, depois, medidas que pareciam relativas ao caos. Havia determinado a energia mínima exigida para trazer de volta um dos Dominados pelo Caos, e, então, organizado listas com melhorias que poderiam ser obtidas com mais caos e um manuseio mais delicado da alma.

Falar era uma delas, o que irritava Alex.

Mas o espírito — a essência do que faltava em uma pessoa — parecia ser algo que Constantine não tinha conseguido definir ou recriar. Apesar da insistência de Mestre Joseph de que estavam perto de um avanço, Call não viu nada nas anotações que indicasse isso.

O que Constantine fez foi jogar sua alma no corpo de outra pessoa. Sem dúvida, uma magia impressionante e que lhe salvou a vida, mas não era o mesmo que ressuscitar os mortos.

Naquela noite, no jantar, tanto Jasper quanto Tamara pareceram agitados de um jeito que intrigou Call. Era como se estivessem ligados com uma energia estranha, e Tamara ficava lançando Olhares Cheios de Significado para Call, apontando para a massa artesanal. Ele não fazia ideia do que ela tentava dizer.

Pensou na alegação de Anastasia de que Tamara gostava dele. Celia fez muitas coisas confusas e inexplicáveis enquanto gostava de Call. Talvez Anastasia tivesse razão, mas isso não explicava o que Tamara queria que ele *fizesse*.

— Progredimos hoje — mentiu Alex, e ficou olhando para Mestre Joseph como se à espera de aprovação.

— Não force. Relaxe. A habilidade está aí — afirmou Mestre Joseph, e simplesmente olhou para Call.

O garoto encarou Tamara. Ela estava fazendo uma mímica que parecia um gesto de recolher algo do chão. Pegar? Recolher? Catar?, perguntou ele, mexendo a boca sem emitir som. Tamara fez que sim e, depois, moveu os braços, como se estivesse dançando. Mas o quê... Call estava desconcertado. Será que Tamara tinha ficado louca? Isso não era hora para dançar ritmos latinos. Lambada? Cumbia? O que Tamara estava pensando?

— Eu realmente acho que podemos fazer alguns avanços — continuou Alex, interrompendo os devaneios de Call. — Mudar a maneira como a mágica é feita.

Ele observou Tamara, como se estivesse torcendo para que *ela* ficasse impressionada. Aquilo deixou Call furioso. Tinha parado de prestar atenção na mímica, e olhou fixamente para Alex, desejando poder socá-lo.

Call estava com ciúme. Ciúme de Alex, porque ele era o tipo de cara de quem as pessoas gostavam. Call sabia que Tamara o odiava por ter matado Aaron, e, mesmo que isso nunca tivesse acontecido, ela *ainda* não gostaria de Alex, porque ele tinha feito sua irmã chorar. Call sabia disso tudo, mas não ajudava.

Se Tamara tinha de fato ou não uma paixonite por Call, não fazia diferença. Ele gostava dela.

Gostava mesmo e teria que confessar a ela.

— Então — começou Jasper, percebendo o silêncio tenso. Ele gesticulou para o aparador. — Alguém vai querer aquele bolo de chocolate?

Depois do jantar, Jasper, ainda trabalhando em seu plano de impressionar Mestre Joseph, perguntou ao mago se ele poderia ensinar como criar campos de força a partir do ar e que barrassem as janelas. Alex, que era um mago do ar, imediatamente se ofereceu para ajudar a ensiná-lo.

— Você não vai conseguir utilizar essa informação para escapar, você sabe, certo? — avisou Alex, com visível prazer. — É magia muito avançada. Além disso, mesmo se saísse da casa, jamais sairia da ilha.

— Ah, não — negou Jasper. — Não estava pensando em tentar escapar.

Mestre Joseph lançou a ele um sorriso indulgente.

— Óbvio que não. Venha comigo. — Ele o conduziu para uma das salas de treinamento.

Assim que desapareceram, Tamara pegou a mão de Call.

— Vamos.

Ela o arrastou para fora da sala de jantar em direção à saleta, depois fechou a porta e se apoiou ali.

— Preciso contar uma coisa — revelou, olhando em volta, como se alguém pudesse estar à espreita nas sombras. Tamara usava outro vestido em tom pastel, desta vez em um tom bem claro de laranja, com uma saia de renda.

Era isso. Ela ia contar para Call que gostava dele.

Não, ele deveria contar primeiro. Porque, depois que ela começasse a falar, ele ia travar e fazer papel de trouxa. Buscaria dizer a coisa certa, mas acabaria calado.

— Eu gosto de você! — soltou, de repente. — Acho que você é bonita, e gosto de você e sempre gostei, mesmo quando você não gostava muito de mim. Você é corajosa e inteligente, e acho que vou parar de falar agora.

— Tem túneis embaixo da casa — disse Tamara, quase ao mesmo tempo.

O chão pareceu se inclinar sob os pés de Call. Ela não estava prestes a confessar seus sentimentos. Na verdade, olhava para ele como se o menino fosse alguma nova espécie de inseto que ela jamais havia visto antes.

Seu rosto esquentou.

— Túneis? — repetiu Call, entorpecido.

— Eu e Jasper ouvimos Hugo e Mestre Joseph falando sobre isso. Aparentemente, as entregas vêm por eles; e também servem para armazenar alguns suprimentos extras. Eles chamaram de catacumbas — completou Tamara, um pouco afetada, como se estivesse chocada com a novidade de Callum.

— Ah — disse Call, entendendo com atraso a mímica que Tamara fizera no jantar. — Você estava tentando sinalizar *catacumba*.

— Desculpe — lamentou ela. — Mas, se vamos explorá-las, temos que ir agora. Enquanto Jasper distrai Mestre Joseph. Podemos conversar mais tarde.

— Estou pronto — avisou Call, tentando agir normalmente. — Mas não precisamos conversar sobre o que eu disse. Tipo, nunca.

Anastasia tinha se enganado; lógico que tinha. Tamara não gostava de Call. Jamais sequer ficara a fim do amigo.

Ele só acreditou porque queria que fosse verdade.

Tamara sorriu discretamente para Call e passou por ele indo em direção ao centro da sala. Havia um felpudo tapete persa no chão. Ela começou a enrolá-lo, revelando o quadrado de uma portinhola. Então, olhou para cima.

— Venha me ajudar.

Call se ajoelhou a seu lado, mesmo com a perna doendo. Por vários minutos, ambos lutaram contra a portinhola, tentando encontrar uma maçaneta ou um ponto de pressão que a abrisse.

— Vou tentar uma coisa — disse Call, finalmente, mordendo o lábio.

Ele colocou a mão no topo da porta e pensou muito na magia do caos que vinha fazendo, em vasculhar o vazio em busca de algo. A vastidão selvagem e agitada do elemento do caos. Ele ergueu aquela escuridão, como se estivesse elevando fumaça, e permitiu que fluísse de sua mão.

Uma escuridão completa vazou da porta. Tremeu sob a mão de Call e desapareceu em direção ao vazio, revelando uma escada que levava para baixo.

— Foi difícil? — sussurrou Tamara, soltando o ar.

— Não — respondeu Call.

Era verdade. Utilizar magia do caos já tinha sido difícil, mas agora estava se tornando cada vez mais parecido com a manipulação de qualquer outro elemento. Ele não sabia se isso deveria assustá-lo ou não.

O único problema era que havia acabado de consumir um pedaço do chão, então, qualquer pessoa que passasse por cima do tapete cairia. Mas, no momento, com o coração partido, ele não sabia se conseguia se importar.

Pelo menos, eles eram amigos, disse a si mesmo. Pelo menos sempre o seriam.

Desceram por um longo túnel escuro com paredes de pedra. Mestre Rufus o ensinou que o caos em si não era maligno. Era um elemento como outro qualquer. Mas havia muitos lugares onde Makars eram mortos ao nascer, porque o caos tinha muito poder de destruição. Foi por isso que Anastasia se mudou com Constantine para os Estados Unidos depois que ele nasceu, para salvar sua vida.

*E veja no que deu.*

Tamara acendera uma pequena chama na palma da mão. Usava aquela luz para se orientar, seu brilho laranja iluminando as curvas e esquinas dos corredores, as muitas salas que desembocavam ali. A maioria estava vazia. Algumas exibiam caixotes ou jarros evidentemente destinados a conter elementais. Uma das salas tinha um monte de correntes de aço que Call reconhecia; Mestre Joseph já utilizara uma para aprisionar Aaron.

Tamara parou em frente a uma porta.

— Aqui — disse, sussurrando.

Eles entraram, e Call logo viu o que ela notara. Havia um arco e uma flecha em uma parede, e uma lança afiada apoiada em outra. A sala inteira era uma miscelânea de itens estranhos: livros, álbuns de fotografia, roupas masculinas, móveis, equipamentos esportivos.

Uma sensação fria se alojou no estômago de Call. Tamara pegou uma adaga marcada com as iniciais *JM*.

— Jericho Madden. Devem ser as coisas dele.

— O que está acontecendo aqui embaixo? — perguntou ela.

Call franziu o cenho.

— Provavelmente Constantine guardou tudo para quando trouxesse o irmão de volta.

Os objetos deveriam estar ali havia mais ou menos vinte anos. E agora, que o corpo de Jericho fora destruído, ficariam por muito tempo mais.

Call não conseguia deixar de imaginar onde estariam as coisas de Aaron, mas não podia tocar no assunto. Definitivamente, faria Tamara desconfiar de que ele estava considerando trazê-lo de volta.

Aaron, que definitivamente não riria se Call lhe contasse sobre a estupidez que tinha cometido.

Tudo bem, Aaron não era perfeito. Ele talvez tivesse rido.

Afastando esses pensamentos, Call levantou pilhas de coisas e olhou em volta. Encontrou alguns livros didáticos e romances, e, em seguida, um pequeno caderno de couro sem etiqueta. A caligrafia em suas páginas parecia a de um adolescente. Desenhos de lagartos e outras crianças decoravam as margens das páginas. Diferente das anotações de Constantine, não eram apenas gráficos e experimentos.

*Estou desenvolvendo um projeto especial com Mestre Joseph e Con. Mestre Rufus me deu esse caderno e pediu para eu fazer anotações sobre o que acontecer, então, é isso que farei. Até agora, ser irmão do Makar significa que sou arrastado para onde ele for. Mal sou considerado mais um mago. Todo mundo só me considera seu contrapeso. Ninguém quer saber quanto é estranho sentir sua alma puxando a minha.*

Call levantou o caderno com um tremor para mostrá-lo a Tamara.

— Jericho tinha um diário — contou a ela.

As sobrancelhas da garota se ergueram. Ela observava uma polaroid que mostrou a Call. Era de Anastasia e dois garotinhos vestidos de branco. Na foto, ela usava um vestido florido, sentada na grama, sem sorrir. Tamara virou a fotografia. Alguém tinha escrito o ano no verso.

Com um suspiro, já que Call sabia como tudo isso acabaria, ele guardou o diário no bolso da camisa de flanela para ler mais tarde.

— Talvez tenham deixado passar alguma coisa por aqui — argumentou Tamara. — Alguma coisa que não permitiriam que tivéssemos acesso, mas que guardariam para ele?

— Como um telefone para chamadas de emergência? — perguntou Call, pensando no aparelho de Mestre Rufus que ele mesmo usara para fazer contato com o pai quando chegou ao Magisterium.

— Bom demais para ser verdade — rebateu Tamara.

Eles procuraram por muito tempo, mas não encontraram mais nada que parecesse útil. A única coisa remotamente interessante era uma porção de livros velhos sobre Makars de todo o mundo e suas conquistas duvidosas. Alguns deles foram chamados de coisas como Foice das Almas, Francelho Encapuzado, Devorador de Homens, o Boca, Construtor da Carne, o Flagelo de Luxemburgo, Ceifeiro das Faces; definitivamente, inspirações para o "Inimigo da Morte" de Constantine. Muitos alegaram ter descoberto o segredo da imortalidade, além de outras coisas assustadoras, mas obviamente os livros não diziam quais eram de fato os segredos. Finalmente, Tamara se sentou em uma cadeira próxima.

— É melhor voltarmos antes que alguém perceba que sumimos.

Call assentiu, de repente ciente de que estavam sozinhos, e de que ele tinha acabado de abrir seu coração para Tamara. Sem Jasper por perto para fazer comentários ácidos, ou Mestre Joseph e Alex olhando daquele jeito assustador. Só ele e ela.

— Olhe, Tamara — começou ele. — Tudo o que eu disse antes foi tolice. Você provavelmente gostava de Aaron. Provavelmente nem teve a intenção de me salvar em vez dele. Provavelmente tem muitos arrependimentos.

Tamara esticou o braço e pegou uma das mãos de Call. Ele não tinha percebido quanto estava frio até sentir o calor de sua pele.

— Eu acordo toda noite lamentando não ter salvado Aaron. Mas, Call, não lamento ter salvado você.

Ele não conseguiu respirar.

— Não?

Ela se inclinou em direção a ele. Os rostos estavam muito próximos. Ele conseguia ver o pequeno colar de Fátima brilhando no pescoço de Tamara.

— Achei que você soubesse como eu me sentia.

— Como você se sentia?

Call ficou imaginando se estaria condenado a repetir tudo o que ela dizia. Ela lhe segurava as duas mãos agora, nervosa. Seus olhos estavam enormes, escuros e fixos no garoto.

— *Call* — disse Tamara, e ele a beijou.

Em retrospecto, Call não saberia dizer, com certeza, o que o fizera tomar tal atitude, ou o que havia sugerido que seria uma boa ideia. Ele não fazia ideia de qual instinto lhe dissera que não levaria um tapa ou, pior ainda, seria informado de que era realmente um bom amigo, mas que Tamara não gostava dele desse jeito.

Mas nenhuma dessas coisas aconteceu. Tamara fez um barulhinho e se mexeu para ajustar melhor a posição, e o que no princípio tinha sido Call pressionando a boca nervosamente contra os lábios de Tamara se tornou outra coisa. Algo que fez parecer que seu coração explodia dentro do peito. Tamara colocou as mãos gentilmente nas laterais do rosto de Call, e o beijo continuou por tanto tempo que as orelhas do garoto rugiam com a pulsação acelerada.

Quando por fim se afastaram, Tamara estava muito ruborizada, mas parecia contente. E Call se sentia feliz. Pela primeira vez desde a morte de Aaron, ele se sentia feliz.

Quase tinha se esquecido de como era.

*Acabei de dar meu primeiro beijo em uma fortaleza do Inimigo da Morte, em uma sala cheia das coisas de seu finado irmão*, pensou Call. É a *história de minha vida*.

Mas ele não se importou. Por enquanto, não se importava com nada.

— Vamos — chamou Tamara. As bochechas tinham desbotado para um tom de cor-de-rosa. — Antes que alguém entre na saleta e perceba que abrimos a portinhola.

Call discordava. Por ele, deveriam ficar e se beijar mais um pouco. Era uma invenção subestimada, ou pelo menos uma que ele não tinha estimado até então.

Tamara deu a mão a ele, e, em uma espécie de torpor, os dois seguiram pelas catacumbas com as mãos dadas em um aperto forte. Dar as mãos também era algo surpreendentemente incrível. Toda vez que eles dobravam uma esquina, ela apertava os dedos de Call e lhe enviava ondas de energia pelo braço.

Tiveram que se separar quando chegaram à escada que levava à saleta. Tamara foi primeiro, e ambos perderam algum tempo ajeitando a sala, se certificando de que ficasse parecendo como se nunca tivessem estado ali. Encontraram algumas tábuas para colocar sobre o buraco, tábuas que pareciam capazes de sustentar o peso de uma pessoa.

Saíram sorrateiramente da sala e subiram as escadas. Call estava prestes a conferir se Tamara queria ficar mais um pouco de mãos dadas quando Jasper surgiu das sombras.

— Onde vocês *estavam*?

Call ficou olhando fixamente para Jasper. Ele vivia falando sobre romance — era de se imaginar que soubesse identificar quando não o queriam por perto. Mas Jasper nunca se deu conta dos próprios defeitos de personalidade, bastante severos.

— Exploramos as catacumbas conforme o planejado — respondeu Tamara, acenando para a direção de onde tinham vindo.

Naquele instante, Call se lembrou de que Jasper e Tamara haviam passado o dia todo juntos, planejando coisas.

O ciúme voltou, apesar de Call ter acabado de beijá-la. Afinal de contas, Jasper era um velho amigo de Tamara e, de algum jeito, ele tinha convencido a última menina que gostou de Call a gostar mais dele.

O pensamento foi como um balde de água fria. Subitamente, Call percebeu diversas coisas: (1) beijar criava um torpor de estupidez que durava no mínimo dez minutos; (2) agora que tinha passado, ele não fazia ideia do que significava o beijo em Tamara; e (3) ele não tinha ideia do que fazer agora.

Veio então um impulso avassalador de agarrar Jasper pelo colarinho e forçá-lo a revelar todos os seus segredos românticos. Antes, Call fizera pouco caso deles, mas agora estava prestes a ouvir, sem ceticismo.

— Bem, eu enrolei o máximo que pude, mas é melhor irem para os quartos antes que Mestre Joseph perceba sua ausência — avisou Jasper, menos irritado. — Encontraram alguma coisa?

Tamara apenas assentiu. Os três seguiram para o quarto rosa, Call na retaguarda. Dormir no mesmo cômodo fazia com que se sentisse estranho. Call se lembrou de ter dormido ao lado da garota na cama da garagem de Alastair. Tinha sido um pouco esquisito, mas nada comparado ao que seria dividir o quarto agora.

Tamara era linda, corajosa e incrível. Call achava que seu destino era ficar com alguém heroico, como Aaron, ou com algum aristocrata idiota, feito Jasper. A ideia de que ela gostava dele, afinal — uma vez que ele já tinha tido certeza de que gostava, e depois de que não gostava — ainda fazia sua cabeça girar.

Call olhou de esguelha para Jasper, ainda pensando em aristocratas idiotas, enquanto se ajeitava no colchão no chão. Tamara foi até o banheiro e saiu com um pijama roxo de babados nos ombros.

Só de olhar para ela, o peito do menino doía de um jeito novo, em pânico. Se Call sabia algo a respeito de si mesmo, era sua capacidade de pegar qualquer coisa boa e transformar em uma bagunça.

— O que descobriram? — perguntou Jasper.

— O diário de Jericho — respondeu Call. — Ainda não li, mas talvez tenha alguma coisa interessante. — Então, fez uma pausa, se dando conta de que o que queria com o diário não era nada parecido com o que os outros queriam. — Digo, sobre pegar o Alkahest ou sair desta ilha, ou sobre o exército desaparecido.

— Temos que voltar e ver se deixamos escapar alguma coisa — decidiu Tamara.

Seria um convite para mais beijos? Call não sabia ao certo. Ele observou Tamara, mas ela olhava para o telhado.

Jasper fez que sim com a cabeça.

— Estou colado em Mestre Joseph, mas, até agora, a única coisa que descobri foi a receita do chili. A aula sobre campos de força mágicos não foi muito informativa.

Call não trocou de roupa para deitar. Ele se esticou no colchão com a cabeça cheia por causa do beijo e de toda a confusão que o acompanhava.

— Boa noite, Call — desejou Tamara, com um sorriso que parecia conter diversos segredos.

Jasper lançou um olhar estranho para ele. Call decidiu que amanhã perguntaria a Jasper tudo o que ele sabia sobre garotas. Só torcia para que não fosse tarde demais.

Pela primeira vez, seus sonhos não foram carregados de caos.

## CAPÍTULO NOVE

Quando Tamara, Jasper e Call acordaram no dia seguinte, os meninos foram para os próprios quartos a fim de tomar banho e se vestir para o café. Call acenou para Tamara ao sair, mas ela pareceu não notar.

Após um banho rápido, com desgosto ele puxou a seleção de roupas de Constantine para o dia: mais uma camisa de flanela. Desejou ter as próprias coisas para vestir.

Ao puxar sua jaqueta jeans de volta, o diário de Jericho caiu do bolso interno. Call o pegou, virando-o lentamente nas mãos. Um objeto que havia sido do irmão de Constantine. Que continha seus escritos. Jamais pensara em Jericho como uma pessoa. Nunca tinha pensado nele, e ponto. Mesmo quando esteve diante do corpo preservado de Jericho na tumba do Inimigo, Call só pensou no que Constantine devia ter sentido quando o irmão morreu.

Mas, agora, contava com o diário de Jericho para entender melhor o que as anotações de Constantine falharam em oferecer.

Ouviu uma batida na porta. Houve tempo para Call guardar o diário de volta no bolso antes de Jasper esticar a cabeça para dentro.

— Hugo esteve aqui — avisou ele, entrando no quarto de Call sem permissão. — Ele disse que eu e Tamara teremos a tarde livre quando acabarem as aulas da manhã. Ele vai a algum lugar com Mestre Joseph, e eu vou segui-los. — Cerrou os olhos para Call. — Está me ouvindo?

— Quero saber tudo o que você sabe sobre garotas — exigiu Call.

— Eu tinha a certeza de que você eventualmente se curvaria a meus conhecimentos superiores sobre romance — retrucou Jasper, convencido.

— Como fazer uma garota perceber que você gosta dela? — perguntou Call. — E, se você beija essa garota, isso significa que vocês estão em um relacionamento?

Jasper se inclinou contra a parede, a mão embaixo do queixo.

— Isso depende, cara — respondeu ele, cerrando os olhos, como se estivesse usando um monóculo. — Quão bem você conhece a dama?

— Muito bem — disse Call, lutando contra o instinto de mostrar a Jasper que ele estava ridículo.

Jasper franziu o cenho.

— É estranho que você esteja me perguntando isso agora — comentou ele. — Considerando que estamos presos aqui, no meio do nada, sem nenhuma garota por perto além de... Tamara. — Um olhar de choque cruzou seu rosto. — Você e *Tamara*?

Call se arrepiou.

— Parece tão improvável assim?

— Parece — respondeu Jasper. — Tamara é sua amiga. Ela não está... ela não gosta de você assim.

— Porque sou o Inimigo da Morte? — Call se irritou. — Porque sou podre por dentro e não mereço ficar com ela? Obrigado, Jasper. Muito obrigado.

O garoto olhou para Call sem falar por um longo tempo.

— Sabe por que eu e Celia terminamos?

— Ela se cansou da sua cara?

— Eu contei que ia visitar você na prisão, e ela falou que eu não podia. Disse que você era o Inimigo da Morte, que era um assassino. E que eu teria que escolher entre vocês dois.

Call piscou os olhos. Parte dele sentiu mágoa, mesmo agora, pelas palavras de Celia, uma dor profunda e distante. O restante estava chocado com Jasper.

— *Você* me defendeu?

Jasper pareceu arrependido de ter aberto a boca.

— Não gosto que me digam o que pensar.

Call não queria se sentir grato a Jasper, mas não conseguiu evitar. Estava extremamente agradecido.

— Obrigado, cara.

Jasper descartou o agradecimento com um aceno.

— Sim, sim, mas o que estou tentando destacar é que, quando digo que Tamara não gosta de você, não estou dizendo que você seja má pessoa. Só acho que ela... Bem, Call, só acho que ela gostava de *outra pessoa*, se é que você me entende.

Aaron. Ele estava falando de Aaron.

Queria protestar e dizer que *Anastasia* achava que Tamara gostava de Call, mas podia imaginar como Jasper responderia a isso — dizendo que, na melhor das hipóteses, Anastasia não fazia ideia do que estava falando, e que certamente não parecia especialista no amor. Somado a isso, Tamara não havia olhado para ele naquela manhã, e não tinha falado muita coisa desde o beijo. E também não havia mencionado como se sentia em relação a Call, só que achava que sabia.

Jasper pareceu pensativo.

— E se ela o beijasse, provavelmente seria por não querer morrer sozinha, e porque ela respeita Celia demais para se atirar em mim.

*Não foi nada disso*, Call queria dizer.

— Mas eu ainda posso pedir Tamara em namoro, certo? — perguntou Call.

Afinal, mesmo que tivesse sido um erro, talvez fosse um erro que ela quisesse repetir algumas vezes.

— Pode, se quiser ser rejeitado — respondeu Jasper. — Mas relaxe. O mar está cheio de peixes. Existe um chinelo velho para todo pé cansado. Até para o seu.

Call quis socar a cara de Jasper, o que era confuso, porque ainda se sentia grato por Jasper ter sido dispensado por sua causa.

De má vontade, Call percebeu que o conselho do garoto não faria a sensação estranha em seu estômago melhorar. Na verdade, tinha até piorado.

↑≈△○@

Os dias seguintes passaram em um borrão de teoria do caos. Mestre Joseph dava aulas para Call e Alex pela manhã, e depois os deixava fazendo experimentos durante toda a tarde enquanto ministrava aulas para Tamara, Jasper e os outros alunos.

Call precisava admitir que Mestre Joseph era um professor empolgante. Ele queria que experimentassem coisas, testassem novas ideias, e não era particularmente preocupado com riscos. Call aprendeu muito sobre o caos, aprendeu a segurá-lo nas mãos, manuseá-lo e moldá-lo. Aprendeu a trazer criaturas do caos pelo vazio e a mantê-las com ele durante todo o dia, formas escuras que passavam por suas pernas e deixavam Devastação agitado. Aprendeu a olhar para o vazio em si, um lugar de sombras para onde quanto mais se olhava, mais as sombras pareciam ser justamente o oposto, feitas de todas as cores de uma vez, girando nos olhos de Call.

À noite, jantavam juntos. Às vezes Mestre Joseph cozinhava. Outras, encomendava comida a um de seus capangas. Naquela noite, estavam comendo frangos deliciosamente fritos com muitos acompanhamentos. Call mordiscava um osso de modo pensativo. O Mal definitivamente tinha a culinária a seu lado.

— Amanhã — começou Mestre Joseph — vou passar o dia todo fora, então gostaria que vocês dois, Call e Alex, se concentrassem nas experiências. Quanto a vocês, Jasper e Tamara, lhes deixarei alguns exercícios.

Tamara buscou o olhar de Call do outro lado da mesa, mas ele não conseguia mais interpretar seus olhares. Ela provavelmente queria dizer *Ótimo, Mestre Joseph vai passar o dia fora, então devemos vasculhar a casa*, mas ele queria que ela estivesse dizendo *Ótimo, ele vai estar fora, então podemos dar uma escapada e ficar juntos.*

Não tinham mais se beijado desde o dia no quarto de Jericho, e Call estava começando a ficar um pouco enlouquecido. *Ela gostava de outra pessoa*, dissera Jasper. *Se ela o beijasse, provavelmente seria por não querer morrer sozinha.* Suas palavras assombravam Call.

Ele realmente precisava parar de pensar em Tamara quando sua fuga e suas vidas corriam risco? Provavelmente.

Jasper dava piscadelas e tentava comunicar alguma coisa do outro lado da mesa. *Depois do jantar*, disse ele silenciosamente. *No meu quarto.*

Alex olhou para eles preguiçosamente. Call jamais conseguia precisar quanta atenção Alex prestava a qualquer coisa que faziam. Ele parecia ter as próprias questões, que envolviam se trancar no quarto — que ficava no outro extremo da casa — manipulando metais pesados e colecionando casacos de grife com caveiras estampadas.

Depois do jantar, Call e Tamara seguiram para o quarto de Jasper. A maioria dos cavalos de pelúcia tinha sido guardada embaixo da cama, e o quarto parecia estranhamente vazio.

— O que está acontecendo, Jasper? — perguntou Tamara, com as mãos nos quadris. Ela usava um vestido azul pastel, e o cabelo solto lhe caía pelos ombros.

— Amanhã — respondeu Jasper. — Temos que sair por pelo menos algumas horas durante a tarde. Precisamos distrair Alex e talvez Hugo.

— Por quê? — indagou Call.

— Porque temos que ver uma coisa — respondeu Jasper. — Mestre Joseph entra e sai daqui montado em elementais, mas eles não aterrissam perto da casa. Vi um aterrissando uma noite dessas e segui para ver o local.

— Sério? — Tamara estava incrédula. — Por que não nos levou junto?

— Um lobo solitário caça sozinho — argumentou Jasper. — Além disso, não dava tempo de chamar vocês. Enfim, eu não encontrei o elemental. Mas achei outra coisa.

— O quê? — perguntou Call.

Mas Jasper balançou a cabeça. Parecia perturbado.

— Terão que ver com os próprios olhos. Não quero falar nisso aqui.

Por mais que Call e Tamara pressionassem, ele não disse mais nada, porém os fez prometer que parariam o que estivessem fazendo para se encontrar com ele no dia seguinte, antes do almoço, perto da trilha onde passeavam com Devastação.

— É melhor levarmos Devastação também — comentou Call. — Ele pode ser nosso álibi se alguém perguntar o que estamos fazendo do lado de fora.

Tamara franziu a testa.

— Você acha que consegue se livrar de Alex?

— Sem problema — respondeu Call, embora duvidasse de que, de fato, não fosse ser um problema.

— Tudo bem. Estou indo dormir, então — disse Tamara. — Estou exausta.

Ela foi para a porta, depois parou, virou e beijou a boca de Call.

— Boa noite — desejou com um pouco de timidez, e praticamente saltitou para fora do quarto.

Jasper encarou Call.

— Caramba! — exclamou, depois que a porta se fechou.

Call não disse nada. Estava chocado e em silêncio. Então, pigarreou porque todas as suas terminações nervosas pareciam expostas.

— Agora você sabe por que preciso de conselhos.

Jasper riu para si mesmo.

— Você tem problemas sérios — avisou ele. — Sinto muito por você, filho.

— Sai fora, Jasper. Você não está ajudando.

— Estamos no *meu* quarto — observou Jasper.

Call tinha que admitir que era verdade. Ele voltou para o próprio quarto e ficou acordado praticamente a noite inteira. Sonhando vez por outra que Aaron estava de pé outra vez, e que ele e Tamara estavam se afastando de Call para nunca mais voltar.

↑≈△○◎

O dia seguinte chegou, e quis o destino que estivesse nublado, com ameaça de chuva por toda a manhã.

Alex parecia estar com um humor particularmente ruim. Call franziu o cenho para ele ao tentarem, sem sucesso, formular novas ideias a fim de ressuscitar um arminho que não fosse nem Dominado pelo Caos nem estivesse prestes a explodir.

Call viu uma oportunidade de se afastar. Se ao menos pudesse utilizar seu superpoder de ser irritante, Alex provavelmente se retiraria por conta própria.

A primeira coisa que Call fez foi começar a cantarolar, desafinado, para si mesmo enquanto examinava os livros de alquimia que Mestre Joseph separara para eles. Alex o encarou.

Em seguida, Call pegou um livro histórico sobre um Makar chamado Vincent de Maastricht — um dos poucos que não tinha sido relegado ao porão — e começou a ler em voz alta:

— Pouco se sabe sobre os métodos empregados por Vincent para garantir os corpos para seus experimentos, mas acredita-se que...

— Vamos voltar ao trabalho? — interrompeu Alex.

Call fingiu não o escutar até Alex lhe arrancar o livro. Depois olhou com indiferença.

— Hein?

— Eu disse que é melhor voltarmos ao trabalho — aconselhou Alex, nitidamente tentando lançar seu melhor olhar de Suserano do Mal a Call.

O garoto bocejou exageradamente.

— Eu estou trabalhando. Estou pensando coisas grandiosas. Afinal de contas, *eu sou* Constantine Madden. Se alguém vai descobrir como despertar os mortos, serei eu.

— Você? — Alex mordeu a isca, sua voz murchando. — Tudo o que você quer fazer é coisa chata. Poderíamos estar produzindo mais Dominados pelo Caos. Poderíamos estar tentando trazer *pessoas* de volta do reino dos mortos, em vez de arminhos. Poderíamos até tentar moldar carne e fabricar alguma coisa totalmente nascida do caos. Constantine Madden não passaria o dia sentado sem fazer nada. Isso é um tédio, assim como você.

— Vá catar coquinho — disse Call, sentindo-se um pouco estranho em relação ao insulto logo após verbalizá-lo. — Você não sabe o que Constantine faria.

— Sei o que ele *deveria* fazer — rebateu Alex, dando as costas a Call e se retirando.

Aquilo foi ameaçador o suficiente para preocupar Call, mas ele não tinha tempo para isso. Em vez disso, tinha que encontrar Jasper e Tamara. Ao que parecia, conseguira a tarde livre. Só não estava muito certo de quanto isso iria lhe custar.

↑≈△○@

Tamara e Jasper o aguardavam, olhando para a água do jardim da frente. Ao caminhar em sua direção, imediatamente pararam a conversa que estavam tendo, e Call teve a sensação desconfortável de que falavam dele. Podia apostar que Jasper tinha muito a dizer sobre ela tê-lo beijado... e nada era coisa boa.

— Tem certeza de que Alex não seguiu você? — perguntou Jasper, enquanto Devastação pulava em Call para colocar as patas em seu peito.

Call olhou nervoso por cima do ombro.

— Acho que não.

— Vamos — chamou Tamara. — Antes que alguém nos veja.

Jasper pareceu ansioso enquanto atravessavam o bosque. Ele estava tão tenso que, quando Devastação caçou preguiçosamente uma borboleta, ele deu um salto.

— Aqui — disse ele, conduzindo-os por um bosque.

Do outro lado, havia o que lembrava uma pedreira antiga. Era talhada direto no morro, com água acumulada no fundo, como se alguém tivesse conseguido perfurar através da base da ilha e o mar minasse por baixo.

— O que estavam extraindo? — perguntou Tamara. Em seguida, cerrando os olhos, ela respondeu a própria pergunta. — Parece granito.

— Tem uma trilha na lateral — avisou Jasper, apontando para uma área que descia.

Era ampla o suficiente para abarcar um veículo, mas também íngreme o bastante para Call ficar com medo de tropeçar e rolar até lá embaixo. Ele se segurou em galhos enquanto passava.

— Precisamos mesmo descer por aí? — perguntou. — Não pode simplesmente nos contar o que viu?

Jasper balançou a cabeça, sombriamente.

— Não, vocês precisam ver com seus próprios olhos.

Levaram um tempo para chegar até a água. Tamara segurou a mão de Call e o ajudou a descer, o que foi gentil e também um pouco constrangedor. Ela sabia sobre sua perna e o tinha beijado assim mesmo, então, isso não devia incomodá-la. Mas Callum não tinha tanta certeza de que não incomodasse a ele mesmo.

Assim como não tinha tanta certeza quanto ao que os beijos haviam significado. Jasper estava muito convencido de que Tamara não gostava dele, e Anastasia do oposto. Mas Tamara o beijou *na frente* de Jasper e isso tinha que contar alguma coisa.

Call precisava falar algo. Ele não sabia quando ficariam sozinhos novamente.

— Hum — disse ele, com sua incrível habilidade de conversação.

Tamara olhou para ele, nitidamente esperando por algo.

Call tentou se lembrar das dicas de Jasper, sobre como fazer garotas gostarem de alguém, mas tudo o que conseguia se lembrar era de que não devia piscar, e, como Tamara estava andando a seu lado, ele não sabia nem se ela conseguia notar.

— A gente está saindo? — perguntou Call, finalmente. Quando ela não respondeu de pronto, ele continuou: — Eu sou seu namorado?

Então, ele se deu conta de que teria que afastar a mão porque estava começando a suar. Enquanto o silêncio se estendia, Call começou a pensar que cair rolando pela colina não seria a pior coisa do mundo. Pelo menos, significaria uma mudança automática de assunto.

— Você quer ser meu namorado? — indagou por fim Tamara, olhando-o de viés através dos longos cílios.

Pelo menos, essa não seria a primeira vez que ele faria papel de trouxa na frente dela.

— Quero — respondeu.

— Tudo bem. — Tamara lhe lançou um sorriso brilhante. — Serei sua namorada.

Na resposta, Call escutou qual teria sido a pergunta certa: *Quer ser minha namorada?* Mas ela não parecia irritada. Simplesmente apertou sua mão e o fez sentir, por um instante, que coisas boas podiam acontecer, mesmo com ele.

*Você errou!*, ele queria gritar para Jasper. *Ela gosta de mim, afinal! Não de Aaron, de mim!*

A trilha acabou, desembocando em uma praia de areia onde a água batia contra pequenos pedaços de granito. Era bonita — ou teria sido, pensou Call, até ver o que havia *embaixo* da água.

Inicialmente, pareceram pedras, como o fundo raso da pedreira, exceto pelas profundezas escuras entre elas. Não. O que Call via eram cabeças, cabelos esvoaçando na corrente, como algas. Centenas — não, milhares — de corpos Dominados pelo Caos. Todos em fileiras organizadas, esperando pela invocação que os levaria de volta à batalha.

Call parou, fazendo Tamara parar a seu lado. Eles soltaram as mãos e encararam. Jasper já estava na beirada da água, apontando para baixo.

O vento soprou o cabelo de Call em seu rosto. Ele o afastou com a mão. Não conseguia parar de olhar.

— São muitos — sussurrou Tamara. — Como... Alex não fez todos estes.

— Não. — Jasper continuava olhando para a água. — Agora vocês sabem por que eu queria que vissem com os próprios olhos.

— Constantine fez — disse Call. — Eu sei.

Ele não conseguia explicar exatamente como sabia. Não tinha lembranças da vida de Constantine. Mas vinha lendo o que Jericho dissera sobre o irmão, e tinha os próprios sentimentos. Ele *sabia*.

— Durante todo esse tempo, achávamos que só existiam os Dominados pelo Caos que vimos — disse Tamara, com um tom preocupado na voz. — Mas há muitos mais.

— Todo mundo disse que a maioria havia sido destruída na Guerra dos Magos — comentou Jasper.

— Tenho certeza de que a maioria dos que foram para a batalha foram destruídos — disse Call. — Mas ele teria feito mais. Constantine era precavido. Ele queria um exército grande o bastante para marchar sobre o Magisterium, o Colégio, a Assembleia, tudo.

— Temos que destruí-los — declarou Tamara, com uma voz mais segura. — Se todos nós usássemos fogo elementar... mas... Não, não podemos queimá-los embaixo da água. Talvez uma bomba?

Call sentiu uma onda de afeição por Tamara. Ela não pensava pequeno.

— Ou Call pode comandá-los a se autodestruir — sugeriu Jasper.

— Se eles realmente forem meus... de Constantine — argumentou Call, de repente tomado pela dúvida.

Então, se virou novamente para a água. Os Dominados pelo Caos continuavam parados, feito árvores que haviam crescido embaixo da água da pedreira. Como se já estivessem ali quando o buraco inundou; nunca tivessem saído, como aquelas cidades que submergem quando reservatórios são construídos.

Call estendeu a mão, a palma voltada para a frente.

— Dominados pelo Caos! — chamou. — Ergam-se! Venham até seu criador!

Silêncio. O vento frio soprou. Call já estava acreditando que tivesse errado, quando a superfície da água começou a se mexer e escurecer. Estavam se movendo. Os Dominados pelo Caos estavam se movendo sob a superfície. Jasper gritou quando uma cabeça surgiu da água próxima a seus pés. Era um homem, o rosto encharcado, olhos arregalados e cegos. Ele começou a se virar na direção de Call.

Tamara pegou o braço do garoto.

— Agora não — pediu ela. — Faça com que voltem para baixo.

Call olhou nos olhos vazios do Dominado pelo Caos.

— Quais são suas ordens? — perguntou Call.

Quando o Dominado pelo Caos respondeu, Call soube que Tamara e Jasper só ouviriam rugidos e rosnados sem sentido. Mas ele ouvia palavras. A língua que compartilhava com os mortos, aquela que mais ninguém falava.

— Erguer — disse o Dominado pelo Caos. — Destruir.

— *Call* — exigiu Tamara.

Ele se virou para ela.

— Eles são perigosos.

— Eu sei — admitiu ela. — Agora faça com que voltem para baixo.

— O momento não chegou — disse Call a eles. — Voltem para a água e esperem.

Em consonância, os Dominado pelo Caoss desapareceram para baixo da superfície outra vez. A mente de Call disparou. Ele podia ordenar que destruíssem uns aos outros. Talvez até pudesse mandá-los de volta ao vazio se abrisse um portal. Mas, com todos eles sob seu comando, poderia destruir a casa de Mestre Joseph, reduzi-la a pó. Poderia destruir tanto Alex quanto Mestre Joseph. Talvez também fosse nisso que Tamara estivesse pensando.

Tinha apenas um problema: Aaron.

— Temos que alertar alguém — decidiu Jasper. — Precisamos ir embora daqui.

— Você consegue comandar todos esses Dominados pelo Caos? — perguntou Tamara.

Call anuiu, mas sentiu um aperto no coração.

— Ótimo — disse Tamara, traçando planos enquanto caminhavam de volta para casa. — Iremos embora hoje à noite, e levaremos o exército de Mestre Joseph conosco. É assim que você vai limpar seu nome, Call! Ninguém poderá duvidar de você se levar a vitória à Assembleia.

Por um instante, o garoto foi induzido a se imaginar na liderança heroica de um exército de Dominados pelo Caos, um exército que comandara a se ajoelhar diante da Assembleia. Talvez eles realmente o aceitassem de volta. Talvez ele realmente pudesse ser perdoado.

Mas, se partissem esta noite, deixariam Aaron para trás.

E, por mais que Call tivesse aprendido muito sobre a magia do caos e muito sobre preencher almas com esse elemento, ainda não havia descoberto como despertar Aaron dos mortos. E depois que escapassem da ilha, não haveria como ressuscitá-lo.

A não ser que fizesse isso aquela noite.

↑≈△○@

Foi mais fácil se desvencilhar de Tamara e Jasper do que tinha sido se livrar de Alex. Call apenas disse que iria se encrencar se não fosse, e nenhum dos dois o questionou.

Uma vez sozinho, pegou o diário de Jericho e foi até a saleta. Se antes tinha passado os olhos em busca de experimentos e segredos, agora lia com fervor. Se Jericho soubesse de *qualquer coisa* que pudesse oferecer a Call alguma pista sobre como trazer Aaron de volta, então ele precisava encontrá-la. Enquanto as páginas passavam, um senso de pavor o preencheu. Então, Call chegou a uma anotação que fez seu sangue gelar:

*Não existe ninguém para quem eu possa contar como me sinto, mas a cada dia fico mais cansado e tenho mais medo do futuro. Logo que me tornei o contrapeso de Constantine, parecia ser uma honra muito grande manter meu irmão mais velho em segurança. Mas nenhum de nós realmente entendia o que um contrapeso podia fazer.*

*Mas, então, Constantine aprendeu a extrair de minha alma regularmente, sem comprometer a dele. Ele me esgota até quase a morte, diversas vezes. Depois, devolve só um pouco de minha força, quase nem é o bastante para me manter consciente, e é pouco demais para permitir que eu realize qualquer magia por conta própria. Temo que minha alma seja inteiramente gasta antes que ele perceba o que está fazendo. Ele nem sempre foi assim, mas mudou muito no último ano, e sinto que não o conheço. Estou com tanto medo, e ninguém acredita em mim, tomados que estão pelo encanto de Constantine.*

Call virou mais algumas páginas.

*Detesto tudo que envolve trazer animais para os experimentos de Constantine, mas trazer corpos humanos de hospitais é ainda pior.*

Call virou a página, com relutância. Era como ler um livro de terror, porém mais assustador. Um livro de terror sobre você mesmo.

*Não sou Constantine*, disse a si mesmo. Mas estava mais difícil agora. Anastasia achava que ele era Constantine. Assim como Mestre Joseph. A única pessoa que realmente não compartilhava dessa opinião era Tamara. Ela acreditava que ele fosse Call, uma pessoa independente. Aaron também acreditava nele. E veja no que deu...

*Uma coisa terrível aconteceu. Eu estava cansado demais para trazer um corpo do cemitério para Constantine, então ele invocou um elemental do ar e nos levou para o hospital. Aterrissamos no heliporto, e ele riu disso. Ele me ajudou a descer as escadas e, por um instante, pareceu que era novamente o irmão de quem eu me lembrava, o irmão que cuidava de mim. Perguntei por que tinha me trazido com ele, e ele disse que só queria que nos divertíssemos juntos.*

*Passamos direto pelo necrotério e entramos no corredor do CTI. Ele utilizou magia do ar para disfarçar nossa presença para as enfermeiras. Foi arrepiante estar entre todas aquelas pessoas doentes que não sabiam que estávamos ali.*

*Entramos em um quarto onde havia uma senhora deitada com os olhos fechados e um tubo na garganta. Os olhos de Con brilhavam. Entendi o que ele queria fazer, mas era tarde demais.*

*— Con, ela não está morta.*

*— Mas talvez essa seja a chave — disse ele. — Ela está quase morta. Talvez seja preciso colocar o caos dentro dela enquanto ainda há um sopro de vida.*

*— Deixe essa mulher em paz — pedi. — Ela está viva.*

*Fiquei repetindo enquanto ele me empurrava de lado e esticava a mão para ela. Caos sombrio derramava de seus dedos. Vi o corpo da mulher balançar e tremer.*

*Senti alguma coisa me beliscar no peito. Engasguei e caí de joelhos no exato instante em que a senhora abriu os olhos; estavam vazios, mas girando em cores, como os olhos dos animais Dominados pelo Caos. Eles se fixaram em mim, e de algum modo achei que ela tivesse me reconhecido. Jericho, diziam seus olhos. Jericho.*

*Constantine não estava me usando só pela energia, percebi. Ele estava usando pedaços de minha alma... como se fossem pilhas, enfiando-as nos Dominados pelo Caos, nessa mulher, como um choque elétrico capaz de trazê-la de volta à vida.*

*Não vi a mulher morrer. Deu para ouvir Con exclamando irritado por ela ter morrido. Mais uma experiência fracassada. Tudo o que pude fazer foi imaginar como minha alma estava, agora que meu irmão a despedaçara.*

Call deixou o diário de lado. Estava respirando tão forte que havia ficado tonto. As palavras no papel eram como um tapa na cara. Ele conhecia Constantine Madden como o Inimigo da Morte, a causa do falecimento de sua mãe, o monstro com quem a Assembleia preferia manter uma trégua por medo de recomeçar a guerra, mas, mesmo assim, isso era terrível de um modo diferente. Era pessoal — o que ele fizera com o irmão, arrancando pedaços de sua alma. Constantine não tinha feito isso para salvar alguém que amava. Não tinha matado aquela mulher por desespero. Foi um experimento. Só porque estava curioso. E era cruel.

Constantine Madden não fora levado a fazer escolhas terríveis em função da dor. Vinha fazendo escolhas horríveis desde muito antes da morte do irmão.

E, por mais que Mestre Joseph o tivesse influenciado no início, ele evidentemente havia se encaixado muito bem com o mal.

Call foi até a janela, olhando para o sol da tarde que tingia a grama. Temia que fosse vomitar. Sentia-se como se houvesse uma tempestade em sua cabeça.

Mas, após alguns instantes, voltou a recobrar os sentidos. E depois, alguns minutos mais tarde, algo novo lhe ocorreu. Durante anos, Call temeu ser sarcástico demais, maldoso demais e excessivamente disposto a seguir pelo caminho mais fácil. Imaginava uma linha acumulando Pontos de Suserano do Mal demais, desde não tirar o lixo ou comer a última fatia de pizza até liderar um exército de Dominados pelo Caos.

No entanto, ele sabia que jamais faria o que Constantine fizera com Jericho; jamais roubaria pedaços da alma de alguém que amasse. Jamais mataria alguém sem motivo. Se ser mau era isso, ele não seguiria esse caminho por acidente.

Talvez devesse parar de se preocupar com estar se tornando Constantine Madden e passar a se preocupar com Alex. Alex, que queria poder e não tinha medo de matar para isso. Alex, que poderia estar disposto a fazer tudo o que Constantine havia feito e mais.

Tamara e Jasper tinham razão: precisavam ir embora da ilha, e rápido, antes que Alex se acostumasse com o que seu poder podia fazer, antes que Mestre Joseph deixasse de acreditar em Call e utilizasse o Alkahest.

Porém, mesmo com toda a maldade, Constantine estava certo em relação a uma coisa: a morte não era justa. Aaron não devia ter morrido, e, se Call pudesse trazê-lo de volta, trazê-lo de volta à *vida*, não como um Dominado pelo Caos, então, alguma coisa boa resultaria dos terríveis experimentos de Constantine, de sua guerra terrível.

Para isso, ele precisaria decifrar o código. Ao longo dos dias em que passaram ali, Call tinha ouvido e lido sobre tantos dos experimentos realizados por Constantine. Em que ele não tinha pensado?

Tinha que haver alguma coisa, alguma pista.

Call pensou no registro que havia lido no diário, no qual Jericho falava ter-se visto espelhado no rosto da mulher; como se ela estivesse sendo animada por um pedaço de sua alma.

Tinha algo ali, algo que cutucava os pensamentos de Call.

Quando ele era bebê, Constantine devia ter feito alguma coisa bem parecida com isso — colocado toda a sua alma no corpo de Callum Hunt. Por que aquilo tinha funcionado?

Call franziu o rosto, se concentrando.

E depois, de repente, teve uma ideia. Uma ideia de fato, não uma dessas ideias tropeçando-no-escuro, talvez-funcione, do tipo que ele e Alex perseguiam com suas experiências infrutíferas.

Enfiando o diário no bolso da camisa de flanela, Call foi até a sala de experiências onde Aaron estava sendo mantido, e fez aquilo que vinha evitando: aproximou-se da mesa e removeu a coberta de cima de seu rosto.

— Espero que me perdoe — pediu.

Se ele fizesse aquilo direito, tudo ficaria bem. Todos poderiam fugir para o Magisterium, e Call eventualmente nem seria preso, considerando que não havia como prender alguém pelo assassinato de uma pessoa viva. Retornariam triunfantes, com o exército de Dominados pelo Caos de Mestre Joseph. E, se Tamara só queria ser namorada de Call por estar abalada pelo luto ou coisa do tipo, como Jasper pensava, bem, então talvez ela passasse a gostar do garoto. Talvez Call pudesse convencê-la.

Desde que Aaron estivesse bem, Call tinha certeza de que ela o perdoaria pelas medidas necessárias a fim de que isso acontecesse.

A sala estava cheia de sombras. Aaron, ali sobre a mesa, tinha seu rosto morto branco como cera. Parecia Aaron e não parecia. O que quer que conferisse a Aaron sua personalidade e sua força havia desaparecido.

*Sua alma*, disse Call a si mesmo. *Chame do que é.* Ele não acreditava em almas antes de estudar no Magisterium, mas Mestre Rufus havia lhe ensinado a enxergar a de Aaron.

Call pousou as mãos no peito de Aaron. Já o tinha tocado antes, na presença de Alex, mas agora parecia estranho. Como se ele estivesse se despedindo do amigo.

Mas não estava. Muito pelo contrário. Tinha afastado sua mente dos caminhos sombrios que ela queria seguir, os caminhos que o lembravam de que estava sozinho na sala com um cadáver. Lembranças de todos os filmes de terror que já assistira competiam para assustá-lo. *Esse é Aaron*, lembrou a si mesmo. *A pessoa menos assustadora que eu conheço.*

Constantine tinha utilizado a alma do irmão, lhe arrancara pedaços para seus experimentos. Mas o que não havia feito era o que Call estava prestes a fazer. Não tinha utilizado um pedaço da *própria* alma.

Call manteve as mãos no peito de Aaron e vasculhou no fundo de si. Tentou se lembrar de como era ver a alma do amigo. Pensou no que o tornava ele — suas primeiras lembranças: o rosto de Alastair, as ruas da sua cidade, o asfalto rachando sob seus pés. Os portões do Magisterium, a pedra preta em sua pulseira, o jeito como Tamara olhava para ele. A sensação da magia de Aaron puxando-o a partir do peito, como era ser um contrapeso, a escuridão do caos...

Escuridão em forma de fumaça se espalhou a partir de seus dedos, derramou sobre o peito de Aaron, como tinta, contornando seu corpo.

Call engasgou. A energia parecia vazar dele através das mãos, fazendo seu corpo vibrar. Dava para sentir a própria alma pressionando o interior das costelas.

Ele fechou dedos imaginários em torno dessa alma e a pressionou. Foi como se uma faísca tivesse saltado e atravessado suas veias, penetrando em Aaron. O corpo de Aaron estremeceu; espasmos percorreram suas mãos, seus pés bateram contra a mesa de metal.

Call estava ensopado de suor, estremecendo dos pés à cabeça. A faísca estava dentro de Aaron; Call podia sentir. Conseguia até enxergar. Aaron tinha começado a brilhar de dentro, como se uma luz tivesse sido acesa em seu interior. Sua boca abriu, e ele respirou profunda e lentamente.

Callum entrou em pânico, imaginando ter jogado caos em outro corpo, lembrando-se de como os olhos de Jennifer Matsui tinham aberto e girado infinitamente com o caos.

— Por favor — implorou a Aaron. — Seja você. Lute para ser você. Por favor.

Se Aaron retornasse como um Dominado pelo Caos, Call jamais se perdoaria.

*Eu não devia ter feito isso*, pensou. Era arrogante; era arriscado demais. No entanto, depois de ler o diário, Call teve tanta certeza de que não era como Constantine... E talvez não fosse, pois nem Constantine chegou a experimentar de fato em Jericho. Até Constantine era mais sensato que isso.

O peito de Aaron subiu e desceu, como se estivesse dormindo, mas ele continuou de olhos fechados.

— Aaron — chamou Call, baixinho. — Aaron, por favor, seja você.

Então, Aaron se mexeu, passando a mão no vazio, rolando o corpo. Ele virou para o lado, se sentou e, com um tremor, abriu os olhos.

Não estavam reluzindo.

Não exibiam nada, além de um verde claro e firme.

— Aaron? — Call tinha a sensação de que mal conseguia produzir qualquer som.

— Call — disse Aaron.

Não soou como ele mesmo; ainda não. Talvez por sua garganta não ser usada há tanto tempo, mas havia um estranho vazio na maneira como falava, uma estranha falta de inflexão.

Call não se importou. Aaron estava vivo. O que quer que houvesse de errado com ele, agora poderia ser consertado. Call jogou os braços no amigo, sentiu a pele aquecer enquanto seu corpo se mexia com mais firmeza. Deu-lhe um abraço forte.

Aaron estava com um cheiro estranho, não de coisa morta ou podre, mas como ozônio, como o ar após a queda de um raio.

— Você está bem! — exclamou Call, como se dizer essas palavras as tornasse reais. — Você está bem! Está vivo e bem!

O braço de Aaron foi para as costas de Call, afagando-o no ombro. Mas, quando Call recuou, o rosto de Aaron estava pálido e tenso. Ele olhou em volta sem conseguir reconhecer.

— Call — falou com a voz rouca. — O que você fez?

## CAPÍTULO DEZ

— Está tudo bem — tranquilizou Call. Ele pegou as mãos de Aaron. Estavam frias, mas não *geladas*. Definitivamente, eram mãos vivas. Call sabia que era preciso esfregar as mãos das pessoas para aquecê-las, então, foi o que fez.

Aaron olhou em volta. Movia-se muito lentamente, como se todos os seus músculos estivessem duros.

— Onde estamos?

— Você precisa se concentrar apenas em melhorar — disse Call.

— Melhorar? — Aaron sem dúvida soava como alguém que estava acordando após um longo sono, mas fazia sentido. — Quando eu fiquei doente?

Call não sabia como responder a essa pergunta. Em vez disso, perguntou:

— Qual é a última coisa da qual você se lembra?

— Estávamos no bosque — disse Aaron. A cor começava a voltar para seu rosto. Os olhos estavam verdes, como sempre foram, sem qualquer indício de cores giratórias. E nenhum Dominado pelo Caos era capaz de conversar, Call lembrou a si mesmo. Não assim, com frases completas e normais. — Estávamos procurando por Tamara...

Ele franziu o nariz, pensativo. Call soltou suas mãos, e Aaron flexionou os dedos. Mãos normais, pele corada, pulsação na garganta... o coração de Call estava acelerado. Tinha conseguido, trouxera Aaron de volta, havia conquistado o impossível...

— E, depois, Alex nos traiu — continuou Aaron. Estava franzindo mais o cenho. — Ele era o traidor, o tempo todo. Ele tinha o Alkahest. E nos fez ajoelhar...

Opa. Calma. Call notou que as coisas estavam prestes a ficar ruins.

— Aaron, tudo bem. Você não precisa...

Mas Aaron tinha começado a tremer. Não tremores leves, como se estivesse com frio, mas espasmos que faziam todo o seu corpo se encolher. Ele agarrou a borda da maca.

— Nós nos ajoelhamos — continuou ele. — Aconteceu uma explosão. Você foi jogado para longe de mim. Vi a luz branca do Alkahest. Ela preencheu o céu. Call... — ele ergueu os olhos verdes assombrados. — O que aconteceu? Por favor, me diga que não foi o que estou pensando.

Call só conseguiu balançar a cabeça. Aaron fitava as próprias mãos. Estavam pálidas e pareciam normais para Call. Mas Aaron parecia ter repulsa a elas.

Call, então, percebeu o que Aaron via: suas unhas tinham crescido e estavam longas e endentadas. *Unhas e cabelos crescem após a morte*, lembrou-se Call. O cabelo de Aaron também estava comprido, ondulando abaixo das orelhas.

— Call — chamou Aaron. — Eu estava... eu estava...?

Ele o interrompeu, desesperadamente.

— Não temos tempo. Precisamos dar o fora daqui. Temos que sair antes que alguém nos encontre. Aaron, por favor!

O garoto hesitou... depois, assentiu. O desespero na voz de Call pareceu ter vencido suas suspeitas. Ele deslizou para fora da maca, aterrissando sobre pés descalços.

Suas pernas fraquejaram instantaneamente. Ele caiu encolhido no chão e rolou, resmungando. Call se inclinou sobre o amigo enquanto Aaron se curvava encolhido e agoniado. Seu cabelo estava grudado de suor na testa.

— Minhas pernas... elas estão *queimando*...

Uma risada atravessou o recinto. Uma risada alta, dura e incrédula.

— Você só pode estar brincando.

Call se esticou. Era Alex, em mais uma de suas roupas pretas, parado na entrada. O coração de Call despencou.

Aaron se apoiou nas próprias mãos, ajoelhando. Estava com uma cor branca que parecia cera.

— Você não — disse ele. — Você não pode estar aqui. Não.

— Nunca achei que você fosse fazer. — Alex entrou na sala. — Nunca achei que teria a coragem, Constantine Júnior.

Call se colocou entre Aaron e Alex.

— Fique longe dele... de nós — exigiu Call.

— Certo. — Alex falou de maneira arrastada. — Vou apenas me retirar e fingir que você *não* acabou de ressuscitar um morto, coisa que literalmente ninguém jamais conseguiu antes...

Aaron gritou.

Foi um barulho horrível. Tanto Call quanto Alex recuaram ao ouvirem o uivo animalesco que saiu da garganta de Aaron. Ele arranhou o chão, com os ombros tremendo, mas não havia lágrimas em seu rosto. Não estava chorando.

— Aaron! — Call se ajoelhou. — Você precisa se acalmar. Por favor, se acalme.

Aaron perdeu a força.

— Estou morto — sussurrou. — Eu *morri*. É por isso que tudo parece cinzento e... e horrível...

As portas se abriram. Mestre Joseph invadiu a sala, seguido por Jasper e Tamara. Estava com a mão erguida, com um núcleo de fogo ardendo na palma. Tinha vindo em resposta ao grito de Aaron, mas agora estava parado, olhando chocado para ele. Mestre Joseph, de repente, pareceu muito mais velho, com a pele esticada demais, a boca reta.

— Meu Deus! — exclamou ele.

Alex soltou um riso amargo.

— Nada relativo a Deus aqui.

— Levante-o — pediu Mestre Joseph, com a voz rouca. — Ponha-o de pé. Preciso ver que ele está vivo.

Call deu uma volta para proteger Aaron, mas Alex já estava lá, puxando o menino para colocá-lo de pé. Aaron ergueu o rosto, olhando para além de Mestre Joseph, vendo Tamara e Jasper na entrada. O rosto de Jasper era uma máscara de surpresa, mas Tamara... Ela parecia ter sofrido uma longa queda e perdido todo o ar do corpo. Como se não conseguisse respirar.

— Tamara — sussurrou Aaron.

A garota colocou as duas mãos na boca e deu um passo para trás, quase batendo em Jasper, que a segurou pelo braço. Ela sacudia a cabeça para trás e para a frente, as tranças escuras chicoteando seu rosto. Call sentiu uma onda de enjoo.

— Tamara — começou a dizer.

— Quietos — disse Mestre Joseph. — Todos vocês, fiquem quietos.

Mestre Joseph olhava fixamente para Aaron, como se realmente estivesse vendo um fantasma. Como se jamais tivesse imaginado que seu plano poderia de fato funcionar. Como se jamais tivesse acreditado que Aaron fosse reviver.

— Você conseguiu — disse ele. Seu olhar estava em Aaron, mas ele obviamente falava com Call. — Eu tinha razão. Eu estava certo quando confiei a você a tarefa de despertar os mortos, Constantine. Você *conseguiu*!

— Call. — A voz de Jasper tinha se tornado um sussurro seco. — *Você* fez isso?

Callum percebeu que deveria ter planejado a ação muito melhor. Não devia ter despertado Aaron sem um jeito de tirá-lo dali, sem uma maneira de todos escaparem, como Tamara queria. Devia ter encontrado um modo de fazer isso quando a comoção não fosse acordar a casa inteira.

Mas ele não tinha ideia de que conseguiria. Não sabia quanto tempo ia levar, ou quanto isso o esgotaria.

De repente, Call se sentiu muito tonto.

Foi então que se lembrou: tinha perdido um pedaço da alma. Percebeu que estava prestes a desmaiar. Instintivamente, esticou o braço para agarrar alguém, mas não havia ninguém.

Quando Call caiu no chão, caiu inteiramente sozinho.

↑≈△○@

Call acordou no velho quarto de Constantine. Assustadoramente, Anastasia estava sentada na ponta de sua cama, com um terno branco e um broche em uma das lapelas. Nele, uma pedra da lua piscou para o garoto.

Call conteve um berro.

Qualquer som abafado que tivesse emitido a alertou para o fato de que estava acordado.

— O que você está fazendo aqui?

Ela ajeitou as cobertas sobre seu peito.

— Mestre Joseph me contou o que você fez. Você sabe que salvou o mundo, certo?

Call balançou a cabeça.

— Mudou o conceito de ser mago. Ah, Call, você mudou tudo. Constantine não será mais lembrado como um monstro. O legado de meu filho será honrado. *Seu* legado.

Um terrível tremor percorreu o corpo de Call. Ele realmente não tinha pensado nesse tipo de consequência. E ela não entendia. O que ele havia feito não era fácil de ser replicado. Ele não podia simplesmente arrancar pedaços da própria alma o tempo todo. Não fazia ideia de como o que alcançara lhe afetaria os poderes. Talvez jamais conseguisse repetir o feito.

Mas Call afastou esse pensamento para mais tarde.

— Aaron... ele ainda está bem? — perguntou.

— Está descansando. Como você estava.

— Ele está... bravo comigo?

Anastasia piscou os olhos, confusa.

— Mas, Con, por que alguém estaria bravo com você? Você operou um milagre.

Ele lutou para conseguir se sentar. As cobertas estavam firmes sobre seu corpo.

— Preciso falar com Aaron. Preciso ver Tamara.

Anastasia suspirou.

— Tudo bem. Espere um pouco. — Ela se levantou, ajeitando o terninho. Seus olhos brilhavam. — Você não sabe o que isso significa. Não sabe quem mais poderia trazer de volta. Você penetrou as barreiras da morte, Con. Existem... existem *razões* pelas quais as pessoas queriam os Makars mortos lá no velho continente. Mas você mudou tudo isso.

Call sentiu o estômago revirar enquanto Anastasia saía do quarto. Razões pelas quais as pessoas queriam os Makars mortos? Além do óbvio? Ele não conseguia imaginar. Precisava ver Aaron. Ele jamais ressuscitaria alguém, jamais voltaria a tocar em um pedaço da própria alma outra vez. Mas reviver Aaron tinha valido a pena. Tinha que valer.

Anastasia retornou, dessa vez com Tamara, que estava com um vestido feito de rendas brancas. Ela entrou com a cabeça baixa, sem olhar nos olhos de Call.

Anastasia foi até a porta e se retirou, apesar de Call ainda conseguir enxergar sua sombra. Ela estava no corredor, escutando.

Call decidiu que não se importava. Estava tão feliz em ver Tamara outra vez que seu corpo todo gelou e, depois, aqueceu novamente. Queria poder ver sua expressão.

— Tamara — começou ele. — Sinto muito...

Ela o interrompeu.

— Você mentiu para mim.

— Sei que está com raiva. E tem todo o direito de estar. Mas, por favor, me escute.

Ela levantou o rosto. Estava com os olhos vermelhos de choro, mas ardiam com emoção.

— Sim, você não deveria ter mentido, mas a questão não é essa, Call. E eu não estou com raiva... estou assustada.

Mais uma vez, ele sentiu um frio percorrer todo o corpo.

— Você não deveria ter feito aquilo. Não deveria ter *conseguido* fazer. Só existe uma pessoa capaz de manipular almas, e que até chegou perto de ressuscitar os mortos. Apostei tudo em você não ser o Inimigo da Morte. Tirei você da prisão por acreditar nisso. Mas me enganei. — Tamara balançou a cabeça. — Você *é* Constantine.

Call se encolheu, como se ela o tivesse acertado. Pensou nos dias em que esteve preso, acreditando que ela pudesse lhe dizer essas palavras. E agora ali estavam elas.

— Eu só queria Aaron de volta. — Call tentou explicar. — Achei que pudesse consertar as coisas.

Tamara enxugou os olhos.

— Eu também queria. Quero acreditar que ele voltou, exatamente como era antes, mas não sei...

Call começou a se levantar da cama. Suas pernas estavam fracas, mas ele se forçou a levantar, agarrando-se a um dos pés do móvel.

— Tamara, ouça. Ele não é Dominado pelo Caos. Usei um pedaço da minha própria alma para despertá-lo. É Aaron. Ele consegue falar. Tem lembranças. Ele se lembra de ter sido assassinado por Alex.

— Depois que você desmaiou, ele começou a gritar — comentou Tamara, secamente. — Simplesmente gritar e gritar.

— Ele está assustado. Qualquer um estaria. Ele está assustado e...

— Não parecia medo.

O rosto de Tamara lembrava uma estátua. Call não queria que ela tivesse razão, mas sentia um frio no estômago. Ela não era muito de errar.

— Ele é nosso melhor amigo — disse Call, a voz arranhando a garganta. — Eu não podia simplesmente deixá-lo.

— Às vezes nós *precisamos* deixar as pessoas. Às vezes acontecem coisas que não podem ser consertadas.

— Você achou que precisasse deixar Ravan. Sua família disse... todo o mundo dos magos disse que ela estava praticamente morta depois que usou magia do fogo em excesso e foi devorada pelo elemento. Mas ela foi parte do seu plano de fuga. Você confiou nela o bastante para isso. Então, deve achar que ela é sua irmã, pelo menos em parte do tempo. Você sabe que magos podem errar.

— É diferente, Call. Ela não está morta; ela foi Devorada.

— É mesmo diferente? — ele respirou fundo. — Sei que se preocupa com as implicações de meus atos, mas as pessoas odeiam Constantine porque ele foi um psicopata do mal, líder de um exército gigantesco de mortos-vivos, que tentou destruir o mundo dos magos; não porque ele queria ressuscitar os mortos. Todo mundo quer isso. Por isso Constantine teve tantos seguidores. Porque todo mundo perdeu alguém. Porque, quando perdemos alguém, parece tão sem sentido, tolo e aleatório que não existe resposta. Talvez Constantine fosse uma pessoa terrível, e talvez eu também seja. Mas posso ser a pessoa terrível que salvou Aaron.

— Espero que sim — disse Tamara. — Quero acreditar nisso. Senti tanta saudade de Aaron que tudo o que quero é acreditar que sua morte tenha sido um erro horroroso. Mas, se ele não for ele, Call, se não tiver realmente voltado, então você precisa me prometer que vai deixá-lo partir de uma vez por todas.

Call a encarou. Ela parecia triste em vez de esperançosa.

— Prometo. Eu jamais deixaria Aaron ser um Dominado pelo Caos. Jamais faria nada para machucá-lo.

Tamara pegou uma das mãos de Call e a apertou com força. Ele ficou tão agradecido e aliviado que queria abraçá-la, segurá-la, como tinha feito antes. Mas se conteve.

— Se você deixar de confiar em mim, Call, então as únicas pessoas que estará ouvindo serão Mestre Joseph e Alex. E eles não são do bem. Eles não querem o melhor para você. Nem para Aaron.

— Eu sei.

— Então, precisa confiar em mim. Se eu disser que Aaron não é ele mesmo, você precisa acreditar em mim.

— Eu vou. Confio em você. Se você disser que não é Aaron, vou acreditar em você.

— É bom mesmo — disse Tamara, indo para a porta. — Porque, se não acreditar, eu também vou parar de confiar em você.

Call voltou para a cama, se inclinando para fazer carinho na cabeça de Devastação. O lobo ganiu uma vez, como se tivesse entendido o que Tamara dissera.

Depois que ela saiu, Call sentia-se cansado demais para levantar, mas chateado demais para descansar. Queria ver Aaron, se convencer de que ele estava bem e de que Tamara se enganou, mas morria de medo de que ela pudesse ter razão. E se Aaron não tivesse realmente voltado? E se o uso da alma de Call só tivesse atrasado todo o processo dos olhos com redemoinhos? Pensamentos sombrios preencheram sua mente até que Call ouviu mais uma batida na porta.

— Pode entrar — disse, certo de que seria Anastasia, com mais afirmações arrepiantes sobre quão incrível ele era.

Para sua surpresa, era Alex.

Ele vestia ainda mais preto que antes, se é que era possível, e seu cabelo estava arrepiado com gel. Havia grandes fivelas de metal em suas botas, e sua pulseira da escola brilhava no punho. Em algum lugar, ele tinha encontrado alguém que colocou uma pedra preta ali, mostrando que era um Makar.

— Call, amiguinho. Hora do jantar.

Call ficou imaginando se seria desconfortável ficar na mesma casa com a pessoa que você assassinou recém-retornada do reino dos mortos, talvez planejando vingança. Torcia para que sim.

— Vamos — chamou Alex, quando Call não respondeu. — Não fique simplesmente sentado aí. Seu zumbi já está na mesa.

— Não fale assim! — ele se irritou. Alex apenas sorriu.

Levantando-se, Call passou por Alex e desceu mancando para a sala de jantar. Seu corpo todo doía, e ele não conseguia impedir que as palavras de Tamara ecoassem em seus ouvidos, mas não podia se esconder. Não podia deixar Aaron sozinho para encarar a todos.

Tentou dizer a si mesmo que o amigo estava bem — realmente bem — e que Tamara cederia ao perceber isso, mas parte dele não tinha tanta certeza quanto gostaria.

Mestre Joseph sorriu para Callum. Ele estava à cabeceira da mesa, que parecia farta como um jantar de Ação de Graças — tinha peru recheado, vasilhas de cenouras caramelizadas e batata-doce, ervilhas e purê de batata com molho de cranberry.

Anastasia estava sentada ao lado de Mestre Joseph, luminosa. Em frente a ela, Jasper, que parecia muito tenso, e Aaron, que se encolheu quando Alex entrou. Call passou por Alex e foi para perto de Aaron, que trazia as mãos cerradas no colo. Ele olhou de um jeito estranho para Call... como se estivesse um pouco feliz em vê-lo, e um pouco não.

Sorrindo, Alex se sentou em uma cadeira ao lado de Anastasia. Distraída, ela o afagou no cabelo, apesar de estar com os olhos em Call. Olhos famintos, pensou ele, devorando-o.

— Onde está Tamara? — perguntou Aaron, enquanto Call se ajeitava na cadeira.

Call começou a se servir e depois a servir o prato do amigo. Aaron pegou seu garfo e sua faca, e Call se animou. Quando todos vissem Aaron comer, pensou, teriam que aceitar que ele era normal. Dominados pelo Caos não se alimentam.

— Lá em cima — respondeu Jasper, rapidamente. — Descansando. Está com dor de cabeça.

Aaron repousou o garfo.

Call se sentiu um pouco enjoado.

— Tudo bem — sussurrou, torcendo para que Aaron acreditasse nele. — Coma alguma coisa. Você vai se sentir melhor.

Aaron exalou. Tamara disse que ele andara gritando, e Call se deu conta de que tinha se preparado para isso agora, mas o garoto parecia calmo o suficiente, mesmo que chateado por conta de Tamara. Aaron pegou novamente o garfo e comeu um pouco do recheio do peru.

Seus ombros pareciam rígidos, como se ele estivesse irritado. Call ficou imaginando se Aaron o detestava. Ele tinha todo o direito, mas talvez só se sentisse chateado por causa de Tamara. Aaron estava acostumado a ser visto pelos outros como um herói; ficaria arrasado se soubesse que Tamara achava que havia algo de errado com ele.

Tamara estava enganada.

Tinha que estar.

— Não é tão fácil ter o mundo todo virado do avesso — argumentou Mestre Joseph. — Assim como ela está lutando para aceitar o que é possível, a Assembleia também o fará. E o Magisterium. Mas nosso tempo, o tempo de estruturar o poder do vazio, começa agora. Com você. — Ele gesticulou para Call. — E você. — Ele virou para Aaron.

— E quanto ao resto de nós? — perguntou Alex.

— Call conseguiu trazer Aaron de volta. Isso é só o começo. Aaron é apenas o primeiro de nossos mortos a retornar. Quando a Assembleia perceber do que ele é capaz, terá que se aliar a nós; em nossos termos. Este é o maior avanço desde que o chumbo foi transformado em ouro. Maior que isso, talvez.

— Você vai conseguir replicar esse feito, tenho certeza — assegurou Anastasia a Alex, respondendo sua pergunta.

Obviamente, Mestre Joseph tinha se envolvido tanto com os próprios pensamentos sobre o futuro que se esquecera de todo o resto.

— É inacreditável que você tenha conseguido fazer o que Constantine não conseguiu — disse Jasper a Call, depois olhou para Aaron, dirigindo-se a ele: — Como você está, cara?

Aaron olhou para Jasper com a expressão assombrada.

Por um instante ninguém falou. Call prendeu a respiração.

— Você está bem? — perguntou Jasper.

— Estou cansado. E estranho. Tudo é tão estranho.

— Se serve de consolo, eu também me sinto muito assim — comentou Jasper, se inclinando para afagar o ombro do amigo.

Call encarou a cena. Parecia um gesto tão casual... e tão inadequado.

— Eu realmente voltei? — perguntou Aaron.

Mestre Joseph sorriu para ele.

— Se consegue fazer essa pergunta, então deve ter voltado.

Aaron assentiu e voltou a comer de maneira metódica, que não era mesmo a forma como ele normalmente comia. Aaron ou era muito bem-comportado e educado, ou devorava a comida, como se tivesse medo que alguém a arrancasse dele. Call o observou, preocupado.

Mas, se Aaron tivesse acabado de sair do hospital, ele também poderia agir de modo estranho. Call tentou encarar esses sintomas como os de um pós-operatório. Alguns anos antes, Alastair teve que remover o apêndice, e, quando voltou para casa, sentia-se cansado demais para fazer qualquer coisa além de assistir TV, tomar sopa enlatada e acompanhar uma maratona inteira de fim de semana de um programa sobre antiguidades.

— Então, como foi? — perguntou Alex, rompendo o silêncio.

Aaron levantou os olhos da comida.

— O quê?

— Como foi estar morto?

— *Cale a boca* — disse Call, mas Alex apenas sorriu para ele.

— Não me lembro. — Aaron encarou o próprio prato. — Eu me lembro de ter morrido. Eu me lembro de *você*. — Ele olhou para Alex, e seus olhos verdes eram duros e frios como malaquitas. — E, depois, não me lembro de mais nada até Call me acordar.

— Ele está mentindo — acusou Alex, alcançando seu copo de refrigerante.

— Deixa ele em paz — exigiu Call, ferozmente.

— Call tem razão — disse Anastasia. — Se Aaron não se lembra...

— Mas seria muito útil ter entre nós alguém que sabe como é o pós-vida — disse Mestre Joseph. — Imaginem que informação poderosa.

Call empurrou a cadeira para trás.

— Não estou me sentindo bem. Acho melhor eu me deitar.

Anastasia se levantou.

— Tenho certeza de que ainda deve estar exausto. Eu o acompanho de volta ao quarto.

— Mas e Aaron? — perguntou Call. — Onde ele vai dormir? — O garoto tentou manter a voz calma, embora imaginasse Mestre Joseph dizendo que Aaron voltaria a dormir na sala de experiências, ou que ficaria aprisionado em algum lugar.

Não era assim que deveria ser. A volta de Aaron deveria resolver tudo porque sua morte era o que tinha feito tudo desandar. Por conta dela, Call fora exposto como o portador da alma do Inimigo da Morte, havia sido preso, passou a ser detestado pela maioria das pessoas com as quais se importava. Parte dele esperava que o mundo se equilibrasse assim que Aaron abrisse os olhos.

Ingenuidade sua, ele percebia agora.

— Há um quarto conectado ao seu — explicou Anastasia. — Jericho costumava ficar lá às vezes. Aaron pode usá-lo, certo?

Ela olhou para Mestre Joseph enquanto falava, e o olhar que ele lhe dava em resposta era impossível de ser lido. Havia um brilho profundo em seus olhos do qual Call não gostava. Agora que ele já tinha feito — agora que tinha, de fato, ressuscitado Aaron —, será que ainda seria útil a Mestre Joseph, ou ele decidiria que os poderes de Call seriam muito mais úteis se não estivessem presos ao menino?

— Sim — concedeu Mestre Joseph. — Pode precisar de uma limpeza.

↑≈△○◎

O quarto precisava *mesmo* de limpeza, e muita. Anastasia utilizou sua magia do ar para tirar o grosso da roupa de cama e das cortinas, fazendo com que todos tossissem. Jasper pediu licença para "ver como estava Tamara", apesar de Call desconfiar de que ele só estava tentando evitar engasgar com as nuvens de poeira.

Quando Anastasia finalmente conseguiu ser persuadida a se retirar, ficou nítido que nem Jasper e nem Tamara estavam inclinados a voltar. Provavelmente estavam no quarto de um deles, conversando sobre o retorno de Aaron e sobre o que isso significava. Conversando sobre Call. Ele tentou dizer a si mesmo que estava tudo bem, e que não deveria ficar enciumado, mas não conseguiu.

Aaron deitou-se na cama, por cima das cobertas, e olhou para o teto, abraçando o próprio corpo, como se estivesse com frio.

— Quer conversar? — perguntou Call, sentindo-se desconfortável.

— Não — respondeu Aaron.

— Olhe, se está com raiva de mim...

Ouviu-se uma leve batida na porta. Ela se abriu lentamente. Tamara entrou no quarto. Usava um vestido cor de lavanda com o qual não perdera tempo arrancando a renda. Estava bonita, como se estivesse indo a uma festa no jardim.

Call piscou os olhos, surpreso ao vê-la.

— Aaron — disse ela. — Que bom que você voltou.

Aaron se sentou lentamente e olhou para Tamara. Seus olhos não giravam. Ele não era Dominado pelo Caos. Mas Call percebeu Tamara se encolher mesmo assim ao encontrar seus olhos, como se ele parecesse estranho. *Mas é Aaron*, berrava a mente de Call. Aaron estava traumatizado, é lógico; não tinha como ser fácil retornar dos mortos. Call desejou que Tamara fosse compreensiva. Dava para notar que ela estava tentando. Ela se sentou em uma cadeira perto da cômoda e cerrou as mãos sobre o colo.

— Desculpe por eu ter ficado estranha antes. — Eu não sabia o que pensar.

— Eu me lembro de você chorando — revelou Aaron. — Quando eu morri.

— Ah — disse Tamara, engolindo em seco.

— E você empurrou Call para fora da rota do Alkahest. E eu acabei sendo atingido.

— *Aaron.*

Tamara engasgou. O coração de Call se contorcia dentro do peito. Lembrou-se de Jasper dizendo a ele *Eu só acho que Tamara... bem, Call, só acho que ela gostava de* outra pessoa, *se é que você me entende*, e em como ele se sentiu quando Tamara disse que não tinha o menor arrependimento por tê-lo salvado.

— Ela não tinha como salvar os dois e tomou uma decisão em uma fração de segundo — argumentou Call, com a voz áspera. — Então deixe isso para lá, Aaron.

O garoto fez que sim com a cabeça. Call sentiu certo alívio, porque isso parecia mais com Aaron.

— Não estou bravo — explicou ele. — Nem com Tamara nem com você, Call. Eu só sinto como... como se tivesse que me concentrar muito para ficar bem. Tipo, tudo o que eu quero é deitar, fechar os olhos e deixar tudo escuro e quieto.

— Isso faz todo sentido — disse Call, as palavras tropeçando umas nas outras com a ansiedade. — Você só precisa se acostumar a estar vivo novamente.

Aaron assentiu.

— Acho que as pessoas conseguem se acostumar com qualquer coisa.

— É incrível — sussurrou Tamara. — Sentar aqui e ouvir você falar, falar mesmo.

— Eu vou ser um exemplo — disse Aaron. — Mestre Joseph vai me usar, e usar Call para mostrar a eles que pode vencer a morte.

— Provavelmente — endossou Call.

— Temos que ir embora — avisou Aaron. — Eles querem usar a gente, mas não hesitarão em nos machucar se necessário.

— Vamos fugir — disse Tamara. — Todos nós. Temos que chegar ao Magisterium.

Aaron pareceu surpreso.

— Por que iríamos para lá?

— Para alertá-los — explicou Tamara. — Eles precisam saber dos planos de Mestre Joseph. Precisam conhecer suas fraquezas.

— Não estaremos seguros lá — argumentou Aaron. — Estaremos sob outro tipo de ameaça.

— Mas, se não os alertarmos, eles estarão sob ameaça — rebateu Call.

— E daí? — indagou Aaron.

Tamara estava revirando as mãos no colo.

— Estamos falando de nossos amigos, Aaron. — Do Magisterium... De pessoas que você conhece. Mestre Rufus, Celia, Rafe, Kai, Gwenda...

— Eu não os conheço tão bem assim — comentou ele. Suas palavras não soaram irritadas, apenas distantes. Aaron parecia cansado e longe de um jeito que jamais soara antes.

Tamara empurrou a cadeira para trás.

— Tenho que ir... ir dormir — anunciou, e foi para a porta.

Antes de sair, desviou para pegar um livro da cômoda. O diário de Jericho. Call ficou imaginando para que ela o queria. Ele ia perguntar, mas, então, Aaron falou novamente:

— Todo mundo tem que morrer eventualmente. Não sei como ajudaria se morrêssemos pelo Magisterium.

Call ouviu Tamara engolir um soluço enquanto ela procurava pela maçaneta e se retirava.

Quando Aaron virou novamente para ele, Call se sentiu mais exausto que nunca. Pela primeira vez na vida, ele não queria conversar com Aaron. Queria ficar sozinho.

— Vá dormir, Aaron — aconselhou ele, levantando-se. — Até amanhã.

Aaron fez que sim e se deitou, fechando os olhos, caindo no sono quase imediatamente, como se não tivesse acontecido nada que pudesse atrapalhar seus sonhos.

↑≈△○@

Após uma hora ouvindo o ronco de Devastação e o silêncio sombrio de Aaron — ele não se mexeu, não se virou e mal parecia respirar —, Call percebeu que não conseguiria dormir. Ficou pensando em seu pai, em Mestre Rufus e no que os dois achariam a respeito de seu feito. Queria poder conversar com eles, pedir conselhos.

Finalmente ele se levantou, decidindo enfrentar aquela casa sinistra e os Dominados pelo Caos para buscar um copo de água. Desceu as escadas e foi para a cozinha.

— Call — chamou uma voz.

Tamara saiu das sombras, e, por um instante, não pareceu possível que ela fosse real. Mas, então, Call viu quão cansada ela aparentava estar, e concluiu que não teria imaginado isso.

— Não consegui dormir — justificou ela. — Fiquei sentada no escuro, tentando descobrir o que fazer. — Tamara vestia as roupas que usava quando chegaram à ilha. Call olhou para o próprio pijama e, depois, para ela, confuso.

— Como assim?

— Você disse que, se ele não estivesse normal, você o deixaria ir — disse Tamara. — Você prometeu.

— É cedo demais. — Era verdade que Aaron estava agindo de um modo estranho, como se parte dele continuasse presa à morte. — Ele vai melhorar. Você vai ver. Sei que estava um pouco estranho hoje à noite, mas ele acabou de voltar. E às vezes ele parece ele mesmo.

Tamara balançou a cabeça.

— Não, Call. O Aaron que era nosso melhor amigo não se parecia em nada com aquilo.

Call balançou a cabeça.

— Tamara, ele foi *assassinado*. Não tem como voltar alegre e otimista disso!

Ela ficou vermelha.

— Não estou esperando que ele seja perfeito.

— Sério? Porque parece que está — rebateu Call. — Como se você achasse que ele tem que ser exatamente como antes, caso contrário ele estará... quebrado. Você não disse que ele não poderia estar diferente ou traumatizado. Eu não teria concordado com isso.

Ela hesitou.

— Call, o jeito como Aaron falou sobre as outras pessoas... Ele nunca foi *indiferente*.

— Dê alguns dias para ele — pediu Call. — Ele vai melhorar.

Tamara esticou o braço e tocou o rosto de Call com a palma da mão. Seus dedos eram macios contra suas bochechas. Call estremeceu.

— Tudo bem — respondeu ela, parecendo incrivelmente triste. — Mais alguns dias. É melhor voltarmos para a cama.

Call assentiu. Ele pegou a água e subiu de volta as escadas.

No Magisterium, Call sabia diferenciar certo de errado; mesmo que nem sempre escolhesse a coisa certa. Na prisão, tudo pareceu lhe escapar.

Talvez fosse porque Aaron sempre foi seu centro moral. Ele não queria acreditar que houvesse algo de errado com o amigo, algo que não pudesse ser consertado. Queria que Aaron ficasse bem, não só por ser o melhor amigo de Call, mas porque se Aaron não estivesse bem, então ele também não estaria.

Se Aaron não estivesse bem, então, Call seria exatamente o que todos sempre temiam.

De volta ao quarto de Constantine, o garoto se jogou na cama, desejando conseguir dormir. Dessa vez funcionou.

Holly Black & Cassandra Clare

↑≈△○@

Call acordou com a uma explosão e a sensação de que pouco tempo havia se passado. Saltou da cama e foi até uma janela. Caminhões se acumulavam do lado de fora, o som quase sufocado pelos gritos.

Seu primeiro pensamento foi que a Assembleia viera prendê-los. E, por um breve momento, o medo lutou contra o alívio.

Mestre Joseph entrou em seu campo de visão ao sair na varanda, vestindo a máscara de prata do Inimigo da Morte. Sem aparentar qualquer esforço, ele voou pelo ar. Abaixo dele, reunindo-se em volta dos degraus da varanda, Call conseguiu ver um grupo de figuras: Anastasia com um vestido branco, Alex com um olhar ameaçador.

— Encontrem-nos! Encontrem os dois! — gritou Mestre Joseph.

Foi então que Call se deu conta do que via. Quem tinha provocado as explosões.

Tamara e Jasper haviam decidido. Eles tinham fugido.

Tamara e Jasper fugiram e o deixaram para trás.

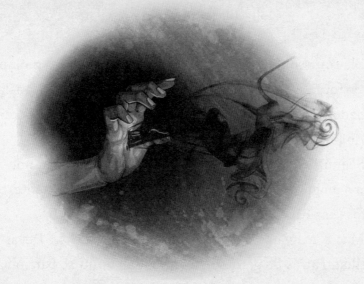

# CAPÍTULO ONZE

Call se jogou contra a janela, esfregando-a, antes de se lembrar de que ela era feita de alguma espécie de magia do ar.

Quase sem pensar, ele invocou chamas em sua mão. Devastação começou a latir. Call mal conseguia prestar atenção. A cabeça parecia cheia de abelhas, zumbindo tão alto que o impediam de raciocinar. A chama mágica afetou a janela, mas estava funcionando muito lentamente. Call não tinha tempo para isso.

Ele invocou o caos, e o elemento veio rápido até sua mão, um laço oleoso e curvo de nada. Dava para sentir a fome do caos, e como ele parecia puxar alguma coisa dentro do garoto.

*Você não tem alma o suficiente sobrando para isso*, parte dele pensou através dos zumbidos, mas não fazia diferença. Call lançou o caos contra a janela.

Ele começou a corroer a magia do ar, o vidro e a moldura do lado de fora. Call não se importava. Quando saltou da janela para o telhado, foi através de um buraco enorme na lateral da casa.

Ao longe, viu fogo.

Seguiu até a beirada das telhas e saltou, concentrando-se em trazer a magia do ar para si. Call oscilou e, por um instante, temeu que fosse cair na grama.

Mas a magia se sustentou. Ele pairou pelo ar. Devastação, no telhado atrás do garoto, latia alto. Call virou-se para olhar em sua direção, e viu que mais duas janelas tinham sido queimadas, a madeira nas beiradas faiscando com chamas fracas.

A perna de Call havia lhe dado um motivo para treinar esse tipo de mágica, mas, como o Magisterium ficava em um complexo de cavernas e em casa existiam vizinhos, ele nunca *voara* de verdade. Uma coisa era flutuar um pouquinho, mas isso, no ar e bem alto, como é comum sentir nos sonhos, era novidade. Call sabia que deveria ficar mais nervoso, mas toda a sua concentração estava voltada para a cena que se desdobrava diante dele.

Call olhou na direção do fogo. Não era um fogo natural, percebeu. Era fogo elementar. Enquanto olhava, notou algo ondulando sobre uma das colinas no horizonte.

Um laço enorme e sinuoso de fogo descia por uma colina. O elemental se elevou, como uma naja, cuspindo fogo pelas extremidades, e Call se lembrou de tê-la visto nos corredores do Panóptico conforme corria ao lado de Jasper.

Ravan. A irmã de Tamara. O que significava que Tamara a invocara. Ela planejava essa fuga há muito mais tempo. Já a devia estar organizando quando se beijaram nos túneis. Ele achou que ter trazido Aaron de volta fora o que fizera com que ela deixasse de confiar nele, mas Tamara já devia ter deixado antes. Porque, se confiasse em Call, teria lhe contado que estava em contato com Ravan. Saber disso parecia um pedregulho no peito.

O ar oscilou outra vez, e a concentração de Call também. Mestre Joseph lançou um raio de magia gelada contra Ravan, que desviou com um sibilo esfumaçado.

Call pôde ouvir desprezo naquele som. Fogo explodiu no cume da montanha. Através das chamas laranja que saltavam, Call teve a impressão de ter visto duas figurinhas correndo.

Tamara confiou em Jasper, mas não em Call. Estava deixando Call, deixando-o para trás porque falara sério no quarto do garoto. Tinha apostado tudo na certeza de que ele não era o Inimigo da Morte, mas ele era.

Só agora, pairando sobre a paisagem em chamas, Call percebeu quanto sempre foi importante Tamara acreditar nele.

Call foi invadido por uma dor tamanha que o fez se sentir como se estivesse engasgando.

Mestre Joseph gritava, e, no escuro, um enxame de figuras lançava mágica contra Ravan. No entanto, a Devorada era veloz e esperta, e desviava de tudo que lhe jogavam.

Call ergueu a mão. Estava se lembrando de um labirinto de fogo, de como ficou perdido até se dar conta de que sua magia do caos podia sugar o oxigênio de tudo, matando o fogo. Ele poderia matar Ravan. Naquele momento, soube que poderia.

— Call. — Era Aaron. Ele estava no telhado da casa, com a mão sobre o pelo de Devastação. Estava descalço e tinha encontrado uma camiseta para substituir a camisa do uniforme. Parecia pálido contra a escuridão. — Deixe-os ir.

Call podia escutar a própria respiração nos ouvidos. Caminhões giravam suas rodas por todo o jardim da frente da casa de Mestre Joseph, nenhum disposto a se aproximar o suficiente para que Ravan explodisse os tanques de gasolina.

— Mas...

— É *Tamara* — interrompeu Aaron. — Você acha que Mestre Joseph vai perdoá-la por fugir? Não vai.

Call não se moveu.

— Ele vai matá-la — disse Aaron. — E você não vai ficar bem com isso. Você a ama.

Call abaixou lentamente a mão, pairando logo acima do telhado. Sentiu Aaron esticar o braço, pegá-lo pelas costas da camisa e puxá-lo de volta para as telhas. Ele caiu meio em cima de Devastação, quase derrubando Aaron. Quando finalmente se ajustaram, Call não conseguiu mais ver Tamara e Jasper correndo ao longe.

Lágrimas quentes se formaram nos olhos de Call, mas ele piscou para contê-las.

— Ela me deixou.

Aaron se sentou, desvencilhando-se de Call. Chegou mais para o lado nas telhas, com Devastação atrás.

— Ela *nos* deixou, Call.

Call emitiu um ruído engasgado que foi parcialmente risada.

— É, suponho que sim.

— Ela quer alertar o Magisterium — explicou Aaron. — É melhor não irmos até lá.

Call de repente percebeu o que havia de tão estranho na forma como Aaron falava.

— Por que de uma hora para outra você passou a odiar tanto o Magisterium?

— Não passei a odiá-los — respondeu Aaron. Ele olhou para onde a batalha devia estar se desenrolando. — Mas é como se eu conseguisse enxergá-los com mais clareza agora que quando eu estava vivo. Eles sempre quiseram apenas o que podiam conseguir de nós, Call. E não podem conseguir mais nada de mim. E vão querer puni-lo. Você provou que eles estavam errados, sabe? Eles nunca acreditaram que Constantine *realmente* conseguiria despertar os mortos.

Call encarou Aaron, tentando decodificar alguma coisa em sua expressão a partir do verde-claro de seus olhos, mas aquele Aaron não era facilmente interpretável. Era, sim, muito esquisito.

*Mas ele acabou de voltar*, lembrou Call a si mesmo. *Talvez a morte se apegue a você por um tempo, bloqueando tudo. Talvez essa sombra para sumir.*

— Acha que fiz a coisa certa ao trazê-lo de volta? — Depois que perguntou, Call sentiu como se não conseguisse respirar até ouvir uma resposta.

Aaron emitiu um som que não foi exatamente um suspiro. Foi como vento chiando através das árvores.

— Você sabe que não sou mais um Makar, certo? Não sou mais um mago. Essa parte de mim se foi, e tudo parece... não sei, desbotado e maçante.

Call se sentiu um pouco enjoado. Ele sabia que Alex tinha tomado o poder de Makar de Aaron com o Alkahest, mas não que Aaron poderia voltar sem nenhuma magia.

— Isso pode mudar — argumentou Call, com desespero. Sem Aaron ele não sabia o que faria. Não sabia o que se tornaria. — Você pode melhorar.

— Você deveria estar se perguntando se está satisfeito por ter me trazido de volta — disse Aaron, com um meio sorriso. — Os magos nunca mais vão aceitá-lo, e sei que você não quer ficar aqui com Mestre Joseph.

— Não preciso me perguntar nada — retrucou Call, incisivamente. — Estou feliz por tê-lo trazido de volta.

Com isso, Devastação latiu e abriu caminho entre eles com o focinho. Aaron se esticou para afagar o lobo, e Call sentiu certo alívio na tensão em seu peito. Se houvesse algo realmente errado com Aaron, Devastação notaria, certo?

Mestre Joseph apareceu no campo visual de Call, seguido por uma falange de Dominados pelo Caos e dúzias de magos. Marchavam de volta para casa. Quando o Mestre avistou Call e Aaron sentados no telhado com o buraco aberto pelo caos atrás de ambos, pareceu momentaneamente furioso. Depois sua expressão suavizou.

— Sorte de vocês dois não terem ido também — gritou Mestre Joseph.

Surgindo atrás do homem, Alex riu.

— Eles não foram convidados.

— Depois que a Assembleia souber do poder que você acessou, tudo será diferente — garantiu Mestre Joseph.

Call se perguntou se isso poderia ser verdade. Os pais de Tamara eram membros da Assembleia. Se ela estava horrorizada, não era provável que eles ficassem igualmente horrorizados, ou até mais?

Mas Call apenas fez que sim.

— Entre — ordenou Mestre Joseph, friamente. — Vamos conversar.

Call assentiu outra vez, mas não entrou de imediato. Permaneceu sentado no telhado até o sol subir mais alto no céu. Aaron também ficou ali.

Enquanto a luz amarela deixava seus cílios dourados, ele virou-se para Call.

— Como você fez isso? Pode me contar.

— Eu dei a você um pedaço da minha alma — respondeu Call, observando a expressão de Aaron para ver se ele estava horrorizado. — Por isso não tinha funcionado antes. Constantine Madden jamais teria tentado algo do tipo. Jamais teria cedido qualquer fração do próprio poder.

— Acho que entendo — disse Aaron, afinal. — Acho que consigo sentir... parte de mim, mas também não.

— E é por isso que não vai funcionar como eles queriam — prosseguiu Call. Era desconfortável falar sobre compartilhar almas. — Porque não posso ficar usando pedaços da minha alma para trazer as pessoas de volta. A alma não é... infinita. Ela pode se esgotar.

— E aí você morreria — adivinhou Aaron.

— Acho que sim. Acho que era por isso que Constantine mantinha Jericho por perto: para poder usar a alma *do irmão*. Eu li o diário de Jericho...

Call olhou em volta, pretendendo mostrá-lo a Aaron, até que percebeu que o diário não estava ali. Tamara o havia levado com ela. Para mostrar para o Magisterium, concluiu Call. Prova. Ele se sentiu enjoado outra vez.

— Você não sente a alma de Constantine em você, certo? — perguntou Aaron. — Você só se sente normal. Você sempre se sentiu?

— Nunca conheci nada diferente — respondeu Call.

— Talvez eu só precise me acostumar — disse Aaron, parecendo muito mais com seu antigo eu. Ele até sorriu um pouco, de lado. — Sou grato. Pelo que você fez. Mesmo que não funcione.

*Mas funcionou*, queria insistir Call.

Antes que pudesse falar, alguém bateu na porta. Era Anastasia, que não esperou que atendessem antes de abrir. Ela entrou no quarto de Call e, depois, parou ao ver a devastação que o menino havia causado — a parede corroída pelo caos e o sol da manhã entrando. Ela piscou algumas vezes.

— Crianças não deveriam ser amaldiçoadas com tanto poder — comentou, como se falasse sozinha.

Anastasia vestia o que parecia ser um uniforme de batalha: aço prateado quase branco no peito e nos braços e um capuz de corrente sobre os cabelos grisalhos.

Pela primeira vez, parecia pensar em Call e em Constantine como pessoas diferentes, igualmente amaldiçoadas. Call desejou que ela continuasse pensando assim, mas não se sentia particularmente esperançoso em relação a isso.

— O que está acontecendo? — perguntou ele, ficando de pé.

— Olhe. — Aaron apontou para um elemental do ar que surgiu sobrevoando o bosque em seu campo de visão. Era uma imagem nítida e oscilante, em formato circular, que lembrava uma enorme água-viva. — Estamos sendo atacados?

— Pelo contrário — afirmou Anastasia. — Este é *meu* elemental. Eu invoquei a vanguarda de minhas tropas. Vou atrás de seus amigos para trazê-los de volta antes que cheguem ao Magisterium e entreguem nosso jogo.

— Deixe eles em paz. — Call se levantou, subindo o resto das telhas e pulando de volta para o quarto.

— Você sabe que não podemos fazer isso. E sabe por quê. Eles têm informações que podem nos prejudicar. Deveriam ter sido mais leais. Queríamos mais tempo para nos preparar antes da guerra contra as forças da Assembleia, mas, se Tamara e Jasper conseguirem voltar, a batalha começa em menos de uma semana.

Call pensou nos milhares de Dominados pelo Caos esperando em seu quartel submerso, pensou em como poderia tê-los levado para longe da ilha, em como a Assembleia poderia tê-lo enxergado como um herói.

Tamara queria que ele fosse visto dessa maneira. Call não podia odiá-la. Independentemente do que acontecesse, ele sabia que jamais odiaria.

— Não machuque meus amigos — implorou. — Nunca pedi muito... — Call não conseguia chamá-la de mãe. Sua garganta travou. — Anastasia. Se pegá-los, tem que me prometer que não vai machucá-los.

Ela cerrou os olhos.

— Farei o que puder, mas eles sabiam das consequências de uma fuga. E, Call, acho que eles não hesitariam em me machucar.

Com seu uniforme de guerra, Anastasia parecia pálida e terrível. Call achou que ela pudesse ter razão quanto ao que Tamara e Jasper fariam, e sentiu ainda mais medo por eles.

— Prometa que vai *tentar* — pediu Call, pois achou que isso seria o máximo que conseguiria dela.

Call sentia-se desamparado, mas ele não era o Inimigo da Morte? Não tinha trazido Aaron de volta e provado isso, como Tamara dissera? Não deveria ser ele a dar as ordens?

— Sim — respondeu Anastasia, com uma voz fria, que não abria muito espaço para gentileza. — Agora desçam para o café. Vocês dois têm muito a discutir com Mestre Joseph.

Aaron se levantou e foi para onde Call estava. Apesar de nenhum deles ter dormido e de Tamara ter ido embora, Call começava a se sentir esperançoso outra vez. Tinha certeza de que Aaron estava certo quanto a precisar que sua alma se ajustasse. Uma vez que Aaron voltasse a ser ele mesmo, descobririam o que fazer. Já tinham se livrado de diversas encrencas antes. Encontrariam uma saída para essa também.

Talvez.

— Certo — disse ele para Anastasia.

Call ainda estava com o pijama emprestado e não se preocupou em se trocar. Aaron parecia confortável com o que vestia. Desceram pelas escadas e entraram na sala de jantar, onde Mestre Joseph estava sentado junto a alguns magos, inclusive Hugo. Quando os dois garotos entraram, os magos se levantaram e saíram. O cabelo de Mestre Joseph parecia chamuscado em um dos lados. O rosto de Alex estava vermelho, como se uma explosão de fogo o tivesse atingido diretamente. A mesa inteira estava cheia de curativos, pomada mágica e canecas sujas.

— Sentem-se — instruiu Mestre Joseph. — Tem café e ovos na cozinha se estiverem com fome.

Call imediatamente foi até lá e voltou com uma caneca enorme de café. Aaron não quis nada, apenas ficou à mesa, esperando.

Mestre Joseph sentou-se em sua cadeira.

— Chegou a hora — anunciou, olhando para Call. — Você precisa explicar exatamente como trouxe Aaron de volta do reino dos mortos.

— Tudo bem — respondeu Call. — Mas você não vai gostar.

— Apenas diga a verdade, Callum. — Mestre Joseph soou como se estivesse tentando ficar calmo, mas o esforço em sua voz foi visível. — E tudo vai ficar bem.

Não estava tudo bem. Call viu a expressão do mago tornar-se sombria enquanto ele explicava como tinha arrancando um pedaço da própria alma e o colocado no corpo de Aaron. O amigo, que já tinha escutado a história, observou pela janela alguns animais Dominados pelo Caos que farejavam a grama lá fora.

— Isso é verdade? — perguntou Mestre Joseph, quando Call terminou. Alex o encarava, incrédulo. — Toda a verdade, Call?

— É ridículo! — protestou Alex. — Quem teria uma ideia dessas?

— Tive a ideia a partir do que li no diário de Jericho. — Call virou-se para Mestre Joseph. — Você sabia... Você sabia que era isso que Constantine estava fazendo? Usando pedaços da alma do irmão para trazer os mortos de volta?

Mestre Joseph se levantou, com as mãos entrelaçadas nas costas, e começou a caminhar de um lado para o outro.

— Eu supus — respondeu o homem. — Torci para que não fosse verdade.

— Então, entende — disse Aaron, desgrudando o olhar da janela. — Isso não é algo que Call possa voltar a fazer.

Mestre Joseph virou-se para eles.

— Mas ele *precisa*. Se Anastasia não conseguir contê-los, seus amigos chegarão ao Magisterium. Quando chegarem, quando contarem à Assembleia, podemos apenas torcer para que sejam razoáveis e reconheçam sua genialidade. Mas, se isso não acontecer, a guerra virá até nós. Temos que ressuscitar Drew antes que isso aconteça.

— Ressuscitar *Drew*? — engasgou Alex. — Você não disse nada a respeito disso antes.

— Óbvio que disse. — Mestre Joseph se irritou. — Despertar Aaron foi uma coisa, seu corpo estava aqui. Mas, se Call também for capaz de recuperar almas que já passaram para o pós-morte, a Assembleia entregará seu poder para nós. Todo o mundo se curvará diante de um poder assim.

— Hoje a Assembleia, amanhã o mundo! — exclamou Alex, animado. — Vamos aumentar os objetivos.

— Mas não é possível — argumentou Call. — Você não ouviu? Não posso continuar arrancando pedaços da minha alma. Eu vou morrer.

— Ah, não! — entoou Alex, em tom sarcástico. — Isso não!

— Você terá matado Constantine Madden — argumentou Aaron.

— É verdade — concluiu Mestre Joseph, olhando para Call de um jeito que o lembrava da primeira vez que tinham se visto: Drew havia morrido, e a expressão do mago era uma mistura de ódio por Callum Hunt e anseio pelo Inimigo da Morte preso em seu corpo. — E é por isso que precisamos de um Jericho. — Ele virou-se para Alex.

Call definitivamente não traria Drew de volta.

— Hum — resmungou ele. — Primeiro você vai precisar de um corpo e de algum traço da alma de Drew. Quero dizer, com Aaron, o corpo ainda tinha um pouco *dele* presente.

Aaron estava completamente parado. Call ficou imaginando o que ele achava da conversa. Call se preocupava que tudo aquilo o fizesse se sentir ainda pior por ter voltado da morte. Torceu para que não. Ele precisava de Aaron otimista. Bem, tão otimista quanto fosse possível nas condições atuais.

— Posso conseguir essas coisas — garantiu Mestre Joseph, com ansiedade.

— Tudo bem — aceitou Call. — É basicamente isso. Eu ajudaria, mas minha magia está muito limitada após trazer Aaron de volta.

— Sua magia abriu um buraco na parede da casa. Parece boa para mim — argumentou Alex.

Call assentiu com tristeza exagerada.

— Eu não tive a intenção de fazer aquilo. Está tudo fora de controle. Não quero machucar Drew acidentalmente.

Alex lançou um olhar penetrante para Call, mas Mestre Joseph pareceu acreditar no que o garoto dizia.

— Sim, dá para entender como seria perigoso. Alex, você ouviu o que Call disse. Agora teremos que recriar essa experiência. Vamos.

Alex parecia muito, muito preocupado. Call supunha que arrancar pedacinhos da própria alma não fosse algo que ele quisesse fazer, mas Call não tinha condições de ser particularmente solidário.

Com um estalo de dedos, Mestre Joseph invocou novamente os outros magos — o que sugeria que eles estiveram ouvindo a conversa.

— Vamos — disse ele para Alex, com a ameaça de ser arrastado para a sala de experiências pairando sobre ele.

Call acenou para Alex, satisfeito consigo e com o mundo pelo menos uma vez.

— Boa sorte! — desejou a eles.

Alex nem se incomodou em olhar de volta. Parecia assustado demais.

Ao encontrar uma caneca com café abandonada por um dos magos, Aaron a levou aos lábios. Call o observou, percebendo que esperava que Aaron exigisse que fossem atrás de Alex, que insistisse em salvá-lo.

— Alex é o motivo pelo qual você morreu — disse Call para a objeção imaginária. — Não ligo para o que Mestre Joseph faz com ele. Deveríamos ficar aqui e tomar café da manhã. Não me importo se sua alma for despedaçada.

— Tudo bem — concordou Aaron.

Call pegou um pedaço desprezado de torrada do prato abandonado de um dos magos. Aaron não deveria ter dito isso. Ele deveria dizer algo sobre como Mestre Joseph e Alex eram do Time do Mal, e sobre como o Time do Bem não deveria se comportar assim.

Aaron não disse nada.

Com um suspiro, Call empurrou a cadeira para longe da mesa.

— Tudo bem. Certo. Vamos verificar.

Aaron pareceu confuso, mas se levantou e seguiu Call. Juntos, foram sorrateiramente até a sala de experiências. Lá de dentro, escutaram vozes abafadas. Call fechou um dos olhos e espiou através de um buraco de fechadura, mas, apesar de funcionar nos filmes, na vida real ele não conseguia ver muita coisa.

— Se não encontrar a alma de Drew, então você não deve ser um grande Makar. — Ele ouviu Mestre Joseph falando do outro lado da porta. — Talvez você devesse ser o meio para a volta de Drew. Talvez Callum Hunt devesse colocar a alma de Drew para dentro, e a sua para fora.

— Eu sou um Makar — resmungou Alex. — Não pode fazer isso.

Call respirou fundo. Eis o verdadeiro Mestre Joseph, o que vinha tentando se esconder por trás de jantares grandiosos e gestos gentis.

— Seus poderes são roubados, e você é inferior — disse o homem, com a voz carregada de fúria. — Você nunca foi destinado a manusear a magia do caos.

— Eu consigo — assegurou Alex. — Eu consigo! — Ouviu-se um barulho de arranhão. — Só preciso de um pouco de espaço para trabalhar.

Naquele instante, Call ouviu um rugido baixo vindo da sala; um som tingido de caos.

— Mestre Joseph! — gritou o garoto, esmurrando a porta. — Deixe a gente entrar!

Um instante depois, Mestre Joseph abriu a porta. Alex, no chão, parecia espantado. Não havia mais ninguém lá dentro. Havia, contudo, um corpo sobre a mesa, sua pele azulada de frio. Call estremeceu.

— Vejo que decidiu ajudar, afinal — disse Mestre Joseph. — Mas, por enquanto, estamos bem assim. Volte à noite, Callum, depois que tiver descansado.

E, com isso, a porta se fechou para eles outra vez. A tranca foi passada.

— Bem, acho que é isso — disse Call, sentindo-se tonto.

Será que poderiam trazer Drew de volta? Call não achava que fosse possível sem que tivessem seu corpo. Até os Dominados pelo Caos tinham um pedacinho da própria alma preso a eles, conforme Call percebeu ao, sem querer, transformar Jennifer Matsui em uma.

Mas sua alma era a de Constantine em um novo corpo, afinal. Talvez *fosse* funcionar. Ele lançou um olhar a Aaron, mas este não parecia preocupado se trariam Drew de volta ou não.

Call *precisava* fazer alguma coisa.

— Vamos — disse ao amigo. — Podemos dar a volta por fora e espiar pela janela.

Call pegou sapatos e um casaco.

— Vamos vê-lo sofrer? — perguntou Aaron, o que não foi nem de perto a pergunta certa.

Call não respondeu.

No caminho para fora, um bando de Dominados pelo Caos baixou a cabeça e resmungou quando Call passou. *Teatro*, pensou o menino. Aaron franziu o rosto para eles, colocou as mãos nos bolsos e andou depressa.

— Olhe em volta — disse Call. — Está vendo? Esse é o tipo de encrenca em que me meto quando você não está por perto.

Desde que você morreu, eu fui preso, fugi da cadeia, depois fui sequestrado e trazido para a fortaleza do Inimigo da Morte com *Jasper*, que passou o tempo todo me falando sobre a própria vida amorosa...

Com isso, o canto da boca de Aaron se ergueu.

— E eu beijei Tamara, que me odeia agora! Sem você, não consigo fazer nada direito. Você é a pessoa que me ajuda a entender o que é certo e o que é errado. Não tenho certeza se consigo fazer isso sem você.

Aaron não parecia se sentir particularmente feliz em ouvir isso.

— Eu não... não posso fazer isso por você agora.

— Mas você precisa — insistiu Call. Tinham alcançado um pequeno bosque. Dali, seria possível chegar sorrateiramente até uma das janelas da sala de experiências, mas, naquele momento, o que estava acontecendo do lado de dentro não parecia tão importante quanto o que se passava entre eles. — Você sempre fez.

Aaron balançou a cabeça.

— Não penso mais como antigamente.

Ele colocou as mãos nos bolsos. Estava frio do lado de fora, com um vento cortante, mas Call não tinha certeza de que Aaron conseguia sentir. Ele não parecia com frio.

— Você está bem — disse Call. — Só temos que tirá-lo daqui.

— Quando?

— Eu, Tamara e Jasper tentamos fugir antes. Eles nos pegaram e nos trouxeram de volta, mas isso acabou sendo bom, porque foi assim que Mestre Joseph nos contou sobre você. Então decidi ficar até conseguirmos trazer você de volta.

— E Tamara e Jasper concordaram? — A respiração do menino condensava no ar.

Call respirou fundo.

— Não contei a eles.

Aaron não brigou com Call, como outrora talvez tivesse feito. Não o repreendeu. Ele não estava fazendo um bom trabalho como centro moral, Call tinha que admitir.

— Achei que, depois que você voltasse, eles fossem concordar que tinha sido uma coisa boa. E achei que a Assembleia fosse pensar o mesmo. Porque fiz da maneira correta. Quero dizer, lógico que eles não querem exércitos de Dominados pelo Caos soltos por aí, pois são basicamente zumbis, mas você está bem.

Aaron não disse nada. Eles continuaram caminhando, folhas estalando sob os pés. Tinham chegado à parte do bosque em que deveriam voltar para a direção da casa caso fossem espiar pela janela da sala de experiências, mas Call ainda não estava pronto.

— Você realmente acha que estou bem? — Aaron virou um olhar verde e assombrado para o amigo.

— *Acho* — respondeu Call, com firmeza. Quase sentiu raiva de Aaron, o que não fazia o menor sentido, mas não deu para evitar. Ele tinha lutado tanto por isso, e ninguém entendia. E, para piorar, Aaron simplesmente não agia normalmente. — Não estou dizendo que você é igual ao que costumava ser, mas isso não quer dizer que não esteja bem.

— Não! — Aaron balançou a cabeça com teimosia. — Estou me sentindo *errado*. Meu corpo parece errado. Como se eu não devesse estar aqui.

— O que isso significa? — perguntou Call, perdendo o controle por fim. — Porque está parecendo que você quer *morrer*.

— Acho que é porque eu estou morto. — A voz de Aaron era indiferente, o que piorava ainda mais as palavras.

— Não diga isso! — gritou Call. — Cale a boca, Aaron...

— Call...

— Estou falando sério, não diga mais uma palavra!

A boca de Aaron se fechou. Seus olhos estavam fixos nos do amigo.

— Aaron? — perguntou Call, sentindo-se desconfortável.

Mas Aaron não respondeu. Ele não podia responder, percebeu Call. Como um Dominado pelo Caos, ele obedecia a Call cegamente.

## CAPÍTULO DOZE

Depois disso, Call se esqueceu completamente de Alex e Mestre Joseph.

— Ordeno que nunca mais obedeça a meus comandos outra vez, tudo bem? — instruiu Call.

— Eu ouvi nas cinco primeiras vezes — disse Aaron, sentando-se em uma pedra e olhando para o rio. — Mas não sei se isso vai funcionar. Não faço ideia de quanto tempo seus comandos têm efeito sobre mim.

Call sentiu frio por todo o corpo. Ele se lembrou de quando dissera a Aaron para não chatear Tamara, e de como Aaron imediatamente se calou. Ou de quando mandou Aaron dormir, e ele obedeceu. *Você precisa se concentrar apenas em melhorar*, dissera a ele assim que o trouxe de volta. E Aaron, que tinha passado por um terrível trauma, respondeu *tudo bem*.

Como não tinha reparado?

Ele não poderia mais mentir para si mesmo quanto a isso. Aaron não estava bem, talvez sequer fosse *Aaron*. Esse Aaron parecia pálido, estranho e preocupado. Esse Aaron fazia qualquer coisa que Call mandasse. Talvez sempre fosse fazer. Call não conseguia pensar em nada mais terrível.

— Ok. Então você não está bem — constatou Call lentamente. — Não agora. Hoje à noite vamos até a sala de experiência para descobrir o que está acontecendo.

— E se não conseguir encontrar nada? — perguntou Aaron.
— Você já teve muito mais sucesso do que Constantine Madden jamais teve. Eu *estou* aqui, basicamente. A única questão é que eu não... eu não deveria estar.

Dessa vez, Call não gritou para que ele se calasse, apesar de ainda querer.

— O que isso significa?

— Eu não *sei* — respondeu Aaron, e ele tinha mais animação na voz do que Call esperava. — Eu não... é preciso muita concentração para prestar atenção ao que está acontecendo. Às vezes eu me sinto como se estivesse escorregando. E às vezes é como se eu pudesse fazer coisas ruins e não sentir nada em relação a isso. Então, entenda. Realmente não posso ser a pessoa que diz a diferença entre certo e errado, Call. Eu realmente não posso mesmo.

Call queria protestar, como fizera antes, mas daquela vez se conteve. Pensou no olhar vazio de Aaron, no jeito como ele não havia entendido por que deveria se importar se as pessoas no Magisterium morressem. Ele não podia continuar insistindo que

Aaron estava bem. Se Aaron acreditava que alguma coisa estava errada, então ele devia acreditar no amigo.

Mas, ao menos, Aaron era capaz de perceber isso. O que tinha que significar alguma coisa. Se ele não fosse Aaron, não se incomodaria com as diferenças que sentia.

— Nós podemos consertar — assegurou Call, no fim das contas.

— A morte não é a mesma coisa que um pneu furado.

— Temos que nos manter otimistas — argumentou Call. — A gente só precisa...

— Tem alguém vindo aí. — Aaron se levantou e apontou para a casa.

A porta da frente estava aberta, e uma fileira de magos, liderados por Mestre Joseph, vinha marchando em sua direção.

Call também se levantou. Sem Tamara e Jasper, seus planos de fuga tinham se tornado vagos e incompletos. O retorno de Aaron desviara sua atenção, e Call achou que isso pudesse ter causado o mesmo em Mestre Joseph. Tinha concluído que teria mais tempo.

Quando Aaron olhou para cima, Call o acompanhou e percebeu que o céu estava cheio de nuvens cinzas e carregadas. Através delas, Call vislumbrou formas gigantescas, que giravam.

Uma delas atravessou as nuvens: um imenso elemental do ar, com asas claras e endentadas. Montada nele, vinha Anastasia, a armadura impecável agora parecendo manchada e suja.

O elemental aterrissou no campo atrás de Call e Aaron, enviando uma onda de ar que deixou a grama amassada em formato de círculo. Call percebeu imediatamente: estavam presos entre Anastasia e Mestre Joseph.

O que estava acontecendo?

— Callum! — Mestre Joseph os alcançou primeiro, e Call notou duas coisas de imediato: Alex não estava com ele, e seu casaco tinha respingos de algum fluido de aparência questionável. — Chegou a hora.

Call trocou olhares com Aaron.

— Hora de quê?

— Tamara e Jasper conseguiram chegar ao Magisterium — respondeu Anastasia, se aproximando. O elemental ficou esperando no campo atrás da mulher, ondulando um pouco com a brisa. — A Assembleia logo terá nossa localização e saberá o que você fez.

— É hora de nos revelarmos, mostrar ao mundo nosso poder — decidiu Mestre Joseph. — Hugo, você trouxe a máquina?

Call e Aaron se encararam enquanto Hugo entregava a Mestre Joseph um enorme jarro de vidro. Dentro dele, girava ar cinzento e preto.

*Telefone de tornado*, Call moveu a boca para Aaron, que assentiu lentamente.

Com um floreio, Mestre Joseph retirou a tampa do jarro. O ar girou violentamente em torno deles. O elemental de Anastasia emitiu um ruído de espanto e desapareceu com um estalo.

Call foi para perto de Aaron, cujos cabelos chicoteavam em volta dos olhos. O ar expandiu para fora, atacando os galhos das árvores, circulando o espaço onde estavam.

— Mestre Rufus! — gritou Mestre Joseph. — Magos da Assembleia! Mostrem-se!

Era como olhar para uma televisão sem muita definição. Lentamente, as imagens foram se tornando mais nítidas, e Call pôde ver a sala da Assembleia e os magos de túnicas verdes lá reunidos. Reconheceu alguns deles, como os pais de Tamara e, evidentemente, os magos do Magisterium — Mestra Milagros e Mestre North, Mestre Rockmaple e, sentado com os ombros encolhidos e a careca brilhando, Mestre Rufus.

Devem ter se reunido assim por um motivo: discutir como derrotar Callum Hunt, o Inimigo da Morte.

Call sentiu o estômago se apertar ao ver seu professor. Mas isso não foi nada comparado ao sentimento dentro de si um instante depois, ao ver quem estava sentado ao lado de Mestre Rufus: Jasper, com o uniforme branco do Quarto Ano, e Tamara, também de branco, as tranças impecáveis. Seus olhos grandes e escuros pareciam encarar através da visão enfeitiçada, como se ela estivesse olhando diretamente para a alma de Call.

Foi o pai de Tamara que deu um passo adiante, com a mão em seu ombro.

— É a última vez que oferecemos a oportunidade de se render, Mestre Joseph. A última guerra nos custou, mas também pediu um preço a você. Você perdeu seus filhos, perdeu Constantine e perdeu o rumo. Se entrarmos em guerra outra vez, não haverá intermediação de paz. Vamos matá-lo, e a todos os Dominados pelo Caos que encontrarmos.

Call estremeceu, pensando em Devastação, que provavelmente estava se escondendo atrás de uma árvore.

— Não seja ridículo! — exclamou Mestre Joseph. — Você age como se estivesse em posição favorável, quando somos nós que temos a chave para a eternidade. Acham que estão em vantagem porque Tamara e Jasper correram para vocês com notícias de nossa fortaleza? Se eu tivesse medo de que isso vazasse, teria cortado a garganta de ambos quando tive a chance.

Tamara o encarou enquanto Jasper recuava um passo. A mãe do garoto estava a seu lado, mas Call não conseguiu ver seu pai em lugar algum.

— Você não entende — prosseguiu Mestre Joseph. — Ninguém liga para sua guerra ridícula. Magos querem seus entes queridos de volta. Querem viver para sempre. O único jeito de conseguir que o mundo dos magos fique do seu lado é negando o que tenho bem aqui do meu. — Com isso, ele apontou para Aaron, que apareceu.

— Diga alguma coisa — ordenou Mestre Joseph a Aaron.

— Não tenho nada a dizer. Não estou do seu lado.

Call esperava que Mestre Joseph gritasse com Aaron, ou tentar impedi-lo de falar, mas, em vez disso, um sorriso largo lhe tomou o rosto.

Um silêncio se abateu sobre os magos. Mestre Rufus levantou a cabeça das mãos. Seu rosto parecia envelhecido, como se estivesse com mais rugas.

— *Aaron*? É você mesmo?

— Eu... Eu não sei — respondeu ele.

Mas a Assembleia já tinha virado um pandemônio. Independentemente do que Tamara e Jasper tivessem contado, pensou

Call, não tinham acreditado que Aaron havia sido trazido de volta. Provavelmente julgaram que o garoto tornara-se Dominado pelo Caos, que Mestre Joseph estava louco. Que Call...

O que será que pensavam de Call?

Mestre Rufus o encarava agora. Seus olhos escuros estavam resignados. Decepcionados.

— Callum — disse ele. — *Você* fez isso? Despertou Aaron dos mortos?

Call olhou para os próprios pés. Não conseguia sustentar o olhar de Mestre Rufus.

— Óbvio que fez — respondeu Mestre Joseph. — A alma é a alma. Sua essência não muda. Ele sempre foi Constantine Madden, sempre será.

— Isso não é verdade!

Call levantou o olhar, espantado, para ver quem o tinha defendido. Tamara. Ela estava com os punhos cerrados junto às laterais do corpo. Não olhava para ele, mas *tinha* se pronunciado. Isso significava que ela não acreditava no que dissera antes, que ele realmente era o Inimigo?

Os pais de Tamara a fizeram calar, puxando-a para o lado e quase para fora do alcance visual de Call, exatamente quando Mestre Joseph bufou com desprezo e voltou a falar:

— Vocês são muito tolos. Acham que estaremos em número reduzido diante de um ataque, como sem dúvida Tamara e Jasper reportaram. Mas realmente acham que não tenho aliados entre vocês? Por todo o mundo dos magos existem aqueles que estiveram esperando pela notícia de que completamos o projeto de

Constantine. De que vencemos a morte. As mensagens já foram enviadas. Vocês podem notar que alguns de seus membros não estão presentes...

Diversos integrantes da Assembleia olharam em volta, alguns na direção de Jasper e sua mãe, para o espaço que deveria estar sendo ocupado pelo pai do garoto.

— Vocês não vencerão — garantiu Mestre Joseph. — Muitos acreditam no que acreditamos. De que adianta nascermos com magia se somos proibidos de nos beneficiar dela, se em vez disso temos que usá-la para controlarmos elementais pelo bem de um mundo que não se importa conosco? Para que serve a magia se não pudermos usá-la para resolver o maior de todos os mistérios: aquele que a ciência jamais penetrou, o mistério da alma? Magos de todo o mundo ficarão do nosso lado, agora que sabemos que os mortos podem voltar a viver.

Alguns dos magos começaram a sussurrar no fundo da sala, apontando. Call pôde notar que a presença de Aaron, mesmo de um Aaron que tenha contrariado Mestre Joseph, tinha mexido com eles. Call ficou imaginando quantos ficariam ao lado de Mestre Joseph.

— Callum, seu pai está desesperado — avisou Mestre Rufus. — Encontre-se conosco. Traga Aaron. Deixe-nos verificar essas alegações.

— Vocês acham que somos idiotas? — gritou Mestre Joseph para as imagens brilhantes dos magos.

— Nós avisamos — interrompeu Tamara. — Ele está sendo mantido prisioneiro.

— Não é o que me parece — disse Graves, com uma fungada. — E como você esteve envolvida na fuga da prisão, sabemos que foi corrompida.

— Call pode apresentar alguns sintomas da Síndrome de Estocolmo — admitiu Jasper. — Mas Mestre Joseph o mantém contra a vontade. Também está aprisionando Aaron.

— Você está mantendo essas crianças em cativeiro? — indagou Mestre Rufus.

Mestre Joseph sorriu.

— Mantendo Constantine Madden prisioneiro? Sempre o servi, e nada mais. Call, você está aqui contra sua vontade?

O garoto considerou o que responder. Parte dele queria gritar por socorro, implorar que alguém viesse salvá-lo, mas não era como se a Assembleia fosse conseguir buscá-lo; não naquele momento. Era melhor que Mestre Joseph acreditasse que ele estava a seu lado. Se haveria guerra, era função de Call fazer o que pudesse para ajudar a Assembleia a vencer.

Pelo menos ele *achava* que deveria ajudar a Assembleia a vencer. De todo modo, sua resposta foi a mesma.

— Não — disse ele, se levantando. — Não sou um prisioneiro. Sou Callum Hunt, o Inimigo da Morte renascido. E aceito meu destino.

↑≈△○@

— Não gosto daqui — confessou Aaron.

Estavam no quarto de Tamara, ou no que costumava ser o quarto de Tamara, sentados na macia cama cor-de-rosa. O aposento de Call ainda tinha buracos nas paredes, o que o tornava muito frio, e fazer reparos na casa não era prioridade de ninguém no momento.

— Não vamos ficar por muito tempo — prometeu Call, apesar de só ter o mais vago dos planos.

Aaron deu de ombros.

— Suponho que não voltaremos ao Magisterium. Não depois que você anunciou ser o Inimigo da Morte.

Call abraçou os joelhos.

— Você acha que eu falei sério?

— Não? — Os olhos de Aaron estavam sem expressão. Call ficou imaginando o que se passava em sua cabeça. Costumava conseguir adivinhar bem os pensamentos de Aaron, mas não mais. — Você venceu a morte, afinal.

— Esta noite vamos descobrir o que podemos fazer por você — revelou Call. — Depois disso, a gente foge.

Call não mencionou o exército de Dominados pelo Caos nem que pretendia levá-lo consigo. Se até o final daquele dia compreendesse o que estava se passando com Aaron, então poderiam ir. Poderiam marchar sobre o rio antes do amanhecer, e era impossível que Alex tivesse um número suficiente de Dominados pelo Caos para impedi-los.

Mas e se não conseguisse? Será que deveriam fugir assim mesmo? Ele realmente achava que o mundo dos magos o aceitaria, principalmente agora, com Aaron?

Call se lembrou das expressões nos rostos da Assembleia, e um buraco frio se abriu em seu estômago.

Pensou nas palavras de Anastasia: *Você é poderoso. Não pode simplesmente desistir desse poder. O mundo não permitirá. Não per-*

*mitirá que você simplesmente se esconda por medo de se ferir. No fim, pode ser que você chegue a essas duas opções: governar o mundo ou ser esmagado por ele.*

Call torceu muito para que ela não tivesse razão, mas precisava admitir que Anastasia havia acertado quanto a Tamara.

— Não vai ser fácil chegar à sala de treinamento — avisou Aaron. — Tem muita gente. Está um caos aqui.

Ele tinha razão; a casa inteira era um alvoroço, Anastasia acompanha os magos mais jovens de um lado a outro para invocar elementais; Mestre Joseph, Hugo e mais alguns marcavam símbolos de defesa em volta da propriedade.

Call queria dizer alguma coisa inteligente, como caos ser seu nome do meio, mas era triste demais. Ele podia ainda ser um mago do caos, mas Aaron não era; sua magia pertencia a Alex agora.

— Devastação vai ajudar — disse ele.

Devastação, ao ouvir seu nome, ergueu as orelhas. Correu para baixo a seu lado, parando na base da escada com olhos estreitos e emitindo um rugido baixo. O lobo jamais gostou muito dali e, quanto mais ficavam, menos parecia gostar.

— Eis o que você precisa fazer. — Call se abaixou para falar com o lobo Dominado pelo Caos.

↑≈△○◎

Enquanto desciam as escadas, Call pôde ouvir seu plano funcionando. Devastação latia e corria em volta, levando os magos em uma caçada feliz. Estavam todos tentando entender o que o havia atiçado, certos de que a Assembleia estava atacando.

Enquanto Devastação corria, Call e Aaron foram direto para a sala de treinamento, fechando a porta e trancando-a.

Só então perceberam que não estavam a sós. Alex estava sentado no chão, com um monte de livros abertos ao seu redor, formando um estranho círculo. Tinha os olhos fundos, e a pele parecia manchada.

Em uma maca no outro extremo da sala, havia um cadáver bizarro. O corpo era de um adulto, mas com um rosto que parecia uma paródia grotesca das feições mais infantis de Drew. Parecia ter sido esculpido em carne, mas com uma faca de manteiga. Estava vestido com uma imitação de roupas infantis: uma camisa com estampa de cavalo e jeans vermelhos. Só de olhar, Call sentiu o estômago dar um nó.

— Hum — disse ele. — Desculpe. Não sabíamos que tinha mais gente aqui.

Aaron apenas olhou para Alex. Pode até ter havido um leve sorriso se esboçando nos cantos de sua boca.

Alex se ergueu, levando consigo alguns dos livros, e apontou um dedo trêmulo para Call.

— *Você*! Você não explicou direito o que fez. Você mentiu. — Ele tentou passar por onde Call e Aaron estavam.

— Ah, não. — Call o conteve com uma das mãos em seu peito. Alex era mais alto que eles, mas eram dois contra um, e Aaron era muito mais intimidador agora que tinha voltado dos mortos. — Você vai nos ajudar.

— Não vou fazer nada até me explicar como trouxe Aaron de volta; a verdade, não o que você disse para fazer Mestre Joseph me atormentar.

— Eu *disse* a verdade. Você só não consegue.

Alex olhou fixamente para Call. Pela primeira vez, o sorriso irônico deixou seu rosto. Ele parecia verdadeiramente assustado.

— Por quê? Por que eu não conseguiria fazer? Por que eu não consigo alcançar e *encontrar* a alma dele?

Call balançou a cabeça.

— Não sei. Eu não fiz isso. Nós tínhamos o corpo de Aaron. Você não *tem* o de Drew. Como vai encontrar sua alma?

O desespero no rosto de Alex era evidente, mas Mestre Joseph não deixaria de querer seu filho de volta. Mesmo que fosse impossível, ele insistiria.

— Então, não há esperança — lamentou Alex.

— Eu não sei — disse Call. — Você me ajuda com Aaron, e eu o ajudo com seu problema.

Alex estudava havia mais tempo que ele; buscava aqueles Pontos de Suserano do Mal que Call tentava combater por anos. E, se existisse alguma chance de que Alex tivesse a chave para ajudar Aaron, então, valia a pena.

Alex olhou para Aaron e franziu o cenho. Aaron se sentou no chão, onde Alex estava, e pegou um livro.

— Ele parece bem — resmungou Alex. — Ajudar com o quê?

— Ele não está feliz — tentou explicar Call.

Alex desdenhou.

— Bem-vindo ao clube. Eu também não estou feliz. Se não trouxer Drew de volta, estarei profundamente encrencado. Mestre Joseph não para de olhar o Alkahest.

— Talvez você não devesse ter sugerido que ele usasse o Alkahest em mim — respondeu Call, sem solidariedade.

Alex suspirou, sem ter uma resposta para isso.

— Então, temos que encontrar algum jeito mágico de deixar Aaron feliz outra vez?

Call franziu o cenho para Aaron, que estava sentado no chão, virando páginas como se alheio à conversa.

— Ele não está exatamente infeliz — explicou. — Ele só... não está no lugar certo. É como um cara que pegou um trem para uma estação, mas que precisou pegar outro trem de volta, porque esqueceu a mala e agora sente que está indo para o lado errado.

— Ah, sim — disse Alex, com sarcasmo. — Agora ficou bem mais explicado.

Call não queria contar a Alex tudo o que Aaron tinha dito, porque o assunto parecia particular, mas tentou mais uma vez:

— Aaron está sem nenhuma magia. Sei que você lhe roubou as habilidades de Makar, mas ele deveria continuar sendo um mago, certo? E não é. O que quer que o esteja afastando de sua magia pode ser a peça que falta para fazê-lo se sentir completo.

Alex hesitou.

— Além disso, se você trouxer Drew de volta sem magia, isso não deixaria Mestre Joseph exatamente feliz.

— Isso é verdade — concordou Alex, com má vontade. — Muito bem, o que está sugerindo?

— Nós aprendemos como tocar a alma no Magisterium — disse Call. — Sinto que devo tentar olhar a de Aaron. Talvez enxergar qual é o problema.

— E por que eu tenho que estar aqui?

Call respirou fundo.

— Você é mais velho e está estudando isso há mais tempo. Então, preciso que pense o que mais devemos checar.

— E se não conseguirmos encontrar nada de errado?

— Eu poderia dar mais da minha alma a ele — respondeu Call, com a voz baixa. — Talvez não tenha sido o bastante.

Alex balançou a cabeça.

— Problema seu. Aaron, suba na mesa de experiência.

Aaron olhou para a maca com o corpo por um longo instante.

— Não. Não vou.

— Porque a maca está ocupada... — disse Call.

— Podemos jogar o corpo no chão — sugeriu Alex, enquanto Aaron o olhava com desgosto.

Para evitar isso, Call arrastou uma mesa cheia de livros de um canto para o centro da sala. Depois de esvaziarem a superfície, Aaron subiu e se deitou com as mãos cruzadas sobre o peito.

Call respirou fundo, sentindo-se constrangido, tentando se lembrar de como era enxergar a alma de Aaron antes. Aquela era a parte que teria que fazer sozinho. Alex não merecia ver a alma de ninguém, e definitivamente não a de Aaron.

Call fechou os olhos, respirou fundo e começou. Era mais difícil do que tinha sido no Magisterium. O corpo ressuscitado de Aaron parecia repelir a investigação de Call. Sua alma era cercada por uma espécie de escuridão. Call tentou se agarrar a lembranças de Aaron. Seu amigo rindo e comendo líquen sem reclamar no Refeitório, separando areia, dançando com Tamara. Mas as imagens vinham fracas. A que mais se destacava era sem dúvida o corpo de Aaron ainda frio sobre a maca.

Call se forçou a lembrar como tinha sido colocar um pedaço de alma em Aaron — feito uma eletricidade acendendo metal na escuridão. A lembrança o dominou, e ele finalmente sentiu um caminho se abrir para a presença de Aaron. Viu a luz de uma alma, pálida e clara, com uma espécie de luz dourada, que era toda Aaron.

Mas fios escuros a cercavam, segurando-a no lugar, se enraizando como hera em prédios até a pedra ruir. Seu corpo parecia pulsar com energia do caos. Call buscou com sua mente e sentiu um frio terrível e opressor.

O corpo. Havia algo de errado com o corpo de Aaron.

— O que vocês estão fazendo? — As portas da sala de experiência se abriram. Atônito, Call se apoiou na mesa, e Alex gritou, dando um pulo para trás.

Era Mestre Joseph, e ele parecia furioso.

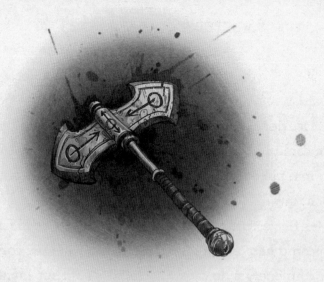

# CAPÍTULO TREZE

Call deu um passo para longe de Aaron, tropeçando em um livro perdido. Aquele era Mestre Joseph como Call jamais o vira antes, seus olhos desgovernados e cheios de raiva. Ele vestia o Alkahest em uma das mãos.

Ao vê-lo, Call sentiu a respiração falhar.

Antigamente, mesmo nas profundezas de sua raiva, Mestre Joseph sempre protegeu Call. Na tumba do Inimigo da Morte, ele até se jogou na frente do garoto, pronto para dar a própria vida para o salvar. Mas agora parecia pronto para matá-lo, sem pensar duas vezes.

— A-ajudando Aaron — gaguejou Call.

— Você não pode mexer com o que fez! — gritou Mestre Joseph, gotas de saliva projetando-se ao falar. — Sem uma ressurreição não somos nada! Os magos vão nos superar, e seremos destruídos. Somente com o poder da vida eterna nosso exército poderá crescer para destruir a Assembleia.

Sobre a mesa, Aaron se sentou. Ele não parecia intimidado pela gritaria. Simplesmente encarou Mestre Joseph de forma impassível.

— Certo, certo — concordou Call, estendendo as mãos e cedendo. Alex tinha recuado para longe de Mestre Joseph, o suficiente para estar contra a parede, seu rosto da cor de cera de vela. Call jamais o vira daquele jeito antes, e isso o deixou ainda mais assustado. — Não se exalte. Está tudo bem.

Mestre Joseph deu um passo em direção a Aaron e pegou seu pescoço, inclinando a cabeça e olhando para ele, como se tentasse determinar se sua nova Mercedes tinha um arranhão.

— Callum parece determinado a me provar que ele mais atrapalha que ajuda. Desde o começo me desafiou. Zombou de seu papel. Fez pouco caso da honra que recebeu. Jogou minha lealdade e meus sacrifícios em minha cara diversas vezes. Bem, Callum, acho que já cansei de vê-lo arruinando meus planos.

— Não leve para o lado pessoal — explicou Call. — Muitas pessoas me acham muito irritante. Não é só você.

— Call estava tentando me ajudar — argumentou Aaron, tentando se livrar da garra de Mestre Joseph. Havia algo quase aterrorizante em sua expressão.

— Você não precisa de ajuda! — irritou-se Mestre Joseph, pegando-o pelo ombro daquela vez. — Não podemos mexer com você!

— Saia de cima de mim — exigiu Aaron, afastando a mão de Mestre Joseph. — Você não sabe do que eu preciso!

Mestre Joseph fez uma careta.

— Silêncio. Você não é uma pessoa. Você é uma *coisa*. Uma coisa morta.

O braço de Aaron se estendeu, e ele segurou Mestre Joseph pela garganta. Foi tudo muito rápido; rápido demais para que Call conseguisse reagir de qualquer jeito que não respirar fundo.

A mão de Mestre Joseph levantou, como se fosse fazer fogo, mas Aaron lhe pegou o braço e *girou-o* para trás das costas. Sua outra mão apertou na garganta do mago. Mestre Joseph se debateu, engasgou, e seu olhar foi perdendo o foco.

— Não! — gritou Call, finalmente percebendo o que Aaron pretendia fazer. — Aaron, não!

Mas Call tinha ordenado Aaron que nunca mais lhe obedecesse, e Aaron assim o fez. Seus dedos enterraram ainda mais na garganta de Mestre Joseph, e ouviu-se um ruído estalado, como o que gravetos fazem quando se pisa neles.

A luz deixou os olhos de Mestre Joseph.

Call engasgou, olhando para Aaron, sem conseguir acreditar que seu amigo tinha feito isso, seu amigo mais próximo, que sempre foi a melhor pessoa que ele conhecia. Pela primeira vez Call teve medo; não *por* Aaron, mas *dele*.

Alex emitia um ruído estranho, que tanto Call quanto Aaron entenderam como a palavra *não* repetidas vezes.

Aaron soltou Mestre Joseph e deu um passo para trás, olhando para a própria mão, como se só agora estivesse se dado conta do que fizera. Ele pareceu confuso quando o corpo do mago atingiu o chão.

*Você é uma coisa. Uma coisa morta.*

Mestre Joseph estava encolhido aos pés de Call, como Drew estivera antes. *Me conhecer tem sido bem ruim para a família de Mestre Joseph*, pensou Call, com alguma histeria, mas não tinha a menor graça.

Alex caiu de joelhos. Ele encarava o corpo de Mestre Joseph.

— Você... pode trazê-lo de volta — disse Alex.

— Mas não vou.

As palavras saíram da boca de Call antes mesmo que ele parasse para pensar. Ficou mais que chocado por Alex ter lhe pedido que revivesse o mesmo Mestre que o ameaçara com o Alkahest, que desdenhara e desacreditara dele. Mas Alex observava o cadáver com um olhar assombrado.

— Você precisa — insistiu Alex. — Alguém precisa nos liderar.

Aaron ficou analisando, com o rosto vazio, o que fizera. Se sentia algum remorso, não demonstrou.

Alex foi para perto do corpo de Mestre Joseph. Havia lágrimas em seu rosto, mas ele não se esticou para tocar o cadáver. Em vez disso, sua mão foi para o Alkahest. Ele o apoiou no peito, e Call percebeu que foi um tolo por não pegá-lo antes de qualquer coisa.

— Hum, Alex? — chamou Call. — O que você está fazendo?

— Nunca achei que ele pudesse morrer. — Alex parecia estar falando com Call, embora a voz estivesse baixa, como se falasse consigo mesmo. — Ele era um grande homem. Achei que fosse liderar o exército comigo ao seu lado.

— Ele era um homem muito mal — rebateu Call. — De certa maneira, tudo o que aconteceu, a guerra dos magos, a morte de Jericho, e mesmo a de Drew, foi sua culpa. Ele machucava as pessoas.

— Ele é o único motivo pelo qual você já foi importante. Ele acreditava em você. E você vai simplesmente largá-lo aqui?

— Como você fez comigo? — retrucou Aaron, descendo da mesa. Ele foi para perto de Call.

— Não fiz aquilo para mostrar que eu era superior ao Inimigo da Morte! — Alex rosnou. Ele ainda estava com o Alkahest, abraçando-o contra o corpo.

— Não. Fez para mostrar que era exatamente igual a ele — argumentou Call, indo até a porta com Aaron logo atrás. Lá, Call virou e prosseguiu: — Nós vamos embora. Sei que está chateado, Alex, mas você pode se sair bem no mundo com sua magia do caos. Ainda pode ser famoso e poderoso, e *não* escolher o mal. Com Mestre Joseph morto, tudo isso pode acabar.

Alex olhou para Call, parecendo cansado.

— Bem, mal — disse ele. — Qual é a diferença?

Call esperou Aaron falar alguma coisa. Esperava que ele fosse observar que Alex deveria saber a diferença, mas não o fez. Talvez esse Aaron também não soubesse.

Call e Aaron percorreram o corredor em silêncio. Devastação logo se juntou a eles, orelhas para trás, o rabo abanando. Passos soaram pela casa, mas ninguém se colocou entre eles e a porta. Pisaram na grama.

— Para onde vamos? — perguntou Aaron.

— Não sei — respondeu Call. — Sair desta ilha. Para longe de tudo.

— Eu vou com você?

Aaron pareceu perceber que matar Mestre Joseph poderia ser algo que faria diferença para Call. Talvez parte de Aaron também estivesse incomodada com isso. Talvez ele se lembrasse de que houve um tempo em que ele jamais teria matado alguém assim, a sangue-frio, com as próprias mãos.

— Óbvio que vai — assegurou Call, mas Aaron provavelmente ouviu a hesitação em seu tom.

— Ótimo — respondeu.

Começaram a caminhar em direção ao bosque, seguindo a estrada, mantendo-se à margem das árvores. Em instantes, a perna de Call começou a doer, mas ele não desacelerou. Deixou a dor acontecer, deixou piorar. E daí se estava doendo? E daí se ele mancava? A dor o fazia sentir tudo de maneira mais aguçada.

Aaron caminhou a seu lado, aparentando estar perdido nos próprios pensamentos. Horrivelmente, quanto mais tempo passava, menos Call sentia que seu amigo o acompanhava, e mais que era um dos Dominados pelo Caos. Até Devastação parecia estar evitando Aaron, mantendo-se do outro lado do dono, sem nunca se aproximar para ser afagado. Apesar de Devastação ter buscado carinho na véspera, parecia explícito que o lobo também achava que Aaron mudara desde que voltou dos mortos. Aaron *tinha* mudado. Mas por que isso teria acontecido?

Pelo menos estavam perto da água agora. Call podia ouvir as ondas batendo na costa. E, então, de repente, aquele ruído foi sufocado pelo ronco de motores. Caminhões rugiam pela estrada. Acima, um elemental que parecia um laço cortou o céu.

Call virou-se, agarrou Aaron pelo ombro e o empurrou para o mato.

— Corra! Precisamos correr!

Mas Call sabia que sua perna não o permitiria ir rápido.

De súbito, vindo do bosque, surgiram Hugo e diversos magos, e, marchando atrás do grupo, os Dominados pelo Caos de Alex.

Mesmo com Mestre Joseph morto, Call e Aaron não conseguiriam escapar.

— Eu sou o Inimigo da Morte! — gritou Call. — Sou a pessoa que está no comando. São minhas ordens que vocês devem seguir. E eu digo que voltem para casa! Acabou. Eu sou Constantine Madden! Sou o Inimigo da Morte! E digo que acabou!

Hugo deu um passo em direção a Call, com um sorriso no rosto. Com um medo crescente, Call percebeu que não eram apenas os magos que ele vira antes. Não eram apenas fugitivos do Panóptico ou aprendizes, como Jeffrey. Havia outros; até pessoas com roupas da Assembleia, que provavelmente tinham acabado de chegar. Traidores, todos reunidos para lutar pelo lado errado. Call teve a impressão de ter reconhecido o pai de Jasper.

Devastação começou a latir alto.

— Você pode ter a alma de Constantine, mas não está no comando — disse Hugo. — Mestre Joseph me deu instruções bastante específicas. Se alguma coisa acontecesse com ele, deveríamos seguir Alex Strike, e Alex disse para levá-lo de volta; à força se necessário.

— Mas eu sou o Inimigo da Morte! — insistiu Call. — Vejam, fui eu que ressuscitei Aaron. Vocês estão todos aqui para desvendar os mistérios da morte, certo? Bem, eu sou o segredo do cadeado da morte! Sou a chave do galpão estranho que ela guarda nos fundos!

Por um instante, depois que Call falou, todos ficaram em silêncio. Ele não sabia ao certo se os tinha impressionado com sua lógica ou não. Por um momento, torceu para que realmente o deixassem ir.

— Talvez você seja... todas essas coisas — argumentou Hugo. — Mas vai ter que voltar para a casa assim mesmo. Haverá uma batalha em breve, e todos precisamos estar prontos. O bosque não é seguro para você nem para Aaron agora. Pode haver membros da Assembleia em qualquer lugar.

— Não vou voltar com vocês.

Ao dizer isso, Call ergueu a mão, invocando o caos. Talvez o liberassem se mostrasse do que era capaz. Se percebessem que ele estava disposto a lutar, talvez temessem machucá-lo. O poder começou a se reunir lentamente dentro de si, embora Call tivesse ficado quase exaurido ao tentar ver o que havia de errado com Aaron. Com um pedaço da alma faltando, ele estava fraco. Precisava de mais poder.

Por hábito, ele alcançou Aaron, seu contrapeso. Mas alcançá-lo era como enfiar um braço em água gelada. Um nada frio e escuro lavou sua mente. Call soltou um grito quando o mundo escureceu.

↑≈△○@

Call acordou com as mãos amarradas atrás de si, a cabeça caindo para o lado. Por um momento, depois que recobrou a consciência, achou que estivesse de volta ao Panóptico. Só quando viu o que o cercava — a saleta vitoriana arrepiante de Mestre Joseph — é que se lembrou de tudo o que tinha acontecido. Mestre Joseph... Tamara... Aaron.

*Aaron.*

Ao olhar para baixo, viu que estava preso a uma cadeira, com os tornozelos amarrados rentes às pernas, e os punhos atados atrás das costas.

— Você está acordado — constatou Aaron.

A voz tinha vindo de trás de Call, perto o bastante para que tivesse certeza de que o amigo também estava amarrado a uma cadeira. As cadeiras provavelmente estavam amarradas uma à outra. Call se mexeu um pouquinho para testar a hipótese, e o peso a confirmou.

— O que aconteceu? — perguntou.

Aaron se mexeu um pouco.

— Você parecia prestes a invocar alguma magia, mas simplesmente desmaiou. Eu não tenho magia, então não pude ajudar muito. Devastação também não. Eles nos amarraram. Alex correu de um lado para o outro, dando ordens. Acho que Hugo falou a verdade sobre a batalha.

— Alex realmente está no comando? — indagou Call, incrédulo.

— Ele alega... — começou Aaron.

Antes que pudesse concluir, no entanto, Hugo entrou, seguido de Alex. Quando a porta se abriu, Call ouviu Anastasia falando com outros magos. Por um instante, ele pensou ter ouvido uma voz que reconhecia, mas não conseguia situá-la.

Alex vestia um longo casaco preto abotoado até o pescoço, o cabelo cuidadosamente penteado para fora do rosto. Não parecia mais cansado nem assustado. Seus olhos cintilavam, e o Alkahest em seu braço brilhava, como se tivesse acabado de ser polido...

— Sério? Você está em um teste para o próximo Matrix — disse Call, e depois percebeu que, talvez, não devesse fazer esse tipo de provocação enquanto estivesse amarrado a uma cadeira.

— Estou no comando agora, como sempre deveria ter estado — disse Alex. — Tenho todo o conhecimento de Constantine e toda a habilidade de Mestre Joseph. Eu sou o novo Inimigo da Morte.

Call teve que morder o lábio para não fazer outra piada.

— Eu poderia transferir seu poder de Makar para mim e ser o mais poderoso usuário do caos que já existiu. Seja leal a mim e se torne meu fiel escudeiro, Callum, ou o mato aqui e agora.

— É uma oferta tentadora — analisou Call. — Mas você sequer tem certeza de que o Alkahest funciona desse modo.

— Você não pode matá-lo — disse Aaron, com gentileza. — Assim como não pode me matar. Sem nós, seu exército não se sustenta.

A boca de Alex se contorceu em uma careta.

— É óbvio que se sustenta.

— É óbvio que não — contestou Call, seguindo a linha de Aaron. — Essas pessoas querem o retorno dos mortos, e quem fez isso fui eu, não você. Todos sabem.

— Ele está certo — insistiu Aaron. — Essa gente veio para seguir Call e Mestre Joseph, não um adolescente que não conhecem.

— Por favor — zombou Alex. — Call explicou como trazer de volta os mortos. Ele usou a própria alma. Posso fazer o mesmo quando quiser, então não preciso mais dele. Preciso de *você*, é lógico. *Você* é prova de que isso funciona, mas Call é dispensável.

— Se ele morrer, não vou te ajudar — lançou Aaron, sem qualquer emoção. — Pode ser que não faça isso sob qualquer condição.

Alex parecia pronto para bater o pé, mas, em vez disso, sacou uma faca do bolso interno do casaco. A lâmina curva, de aparência vil, fez Call pensar em Miri, a própria lâmina, que estava no Magisterium. Forçou um sorriso.

— Então, Call. Você quer correr o risco de que eu cumpra a ameaça assim mesmo, ou promete ser leal? Vai lutar a meu lado no conflito iminente?

— Eu luto a seu lado — decidiu Call. — Afinal, Aaron e eu não temos para onde ir. Você me viu correndo atrás de Tamara e Jasper? Não me ouviu quando disse para a Assembleia inteira que não estava aqui contra minha vontade? Todos os outros me odeiam. Você deveria ter começado seu argumento com esse fato.

Alex sorriu e se inclinou para cortar as cordas que os prendiam. Call se levantou e sentiu a perna ruim doer. Aaron se levantou lentamente depois dele.

— Venham — chamou Alex, marchando para fora da sala.

O sol tinha se posto enquanto Call e Aaron estavam amarrados. Pelas janelas, enquanto seguiam Alex pelo corredor, viram que já estava escuro do lado de fora. Ao passarem pela saleta, Call pôde notar que os enormes gramados do lado de fora da casa estavam acesos com esferas ardentes de fogo mágico.

Eles chegaram à varanda da casa e ficaram ali parados, encarando, Alex sorrindo ao lado. Sob a luz oscilante do fogo, o gramado era um campo de batalha sombrio. Um bando de magos com túnicas verdes da Assembleia e os uniformes pretos do Magisterium estavam diante da casa. De costas para o prédio, se postavam as forças de Mestre Joseph.

Eram forças de Alex agora. Call não as discernia muito bem, mas sabia que eram muitos. Teve a impressão de ter reconhecido Hugo e alguns magos. Eles formavam um muro espesso na frente da propriedade, olhando para o norte com grande determinação.

Havia um buraco mais ou menos do tamanho de um campo de futebol entre eles e os magos da Assembleia. Call foi até a grade da varanda e ouviu um latido.

— Devastação! — exclamou.

O lobo correu em torno da casa e subiu os degraus para se aproximar da perna de Call. O garoto exibiu uma careta de dor, mas baixou a mão para afagar o animal. Era um alívio vê-lo, o único de seus amigos que não mudara.

Arriscou uma olhada de esguelha para Aaron. O perfil era bem delineado pela luz vermelho-alaranjada. Fazia os olhos verdes parecerem mais escuros. Call lembrou-se de como Aaron tinha apertado a garganta de Mestre Joseph até que estalasse, e sentiu uma dor por dentro. De certa forma, ele sentia mais a falta de Aaron agora do que quando ele estava morto. Era como se tivesse trazido Aaron de volta, e, a partir daquele momento, tudo o que fazia Aaron ser ele mesmo tivesse desaparecido, como a bruma evaporando de um rio.

Mas por quê? O pensamento atiçou o subconsciente de Call. O problema era o corpo de Aaron. Se ele o tivesse colocado em um corpo diferente, se tivesse transferido a alma de Aaron, como Constantine transferiu a dele... será que teria feito diferença?

Devastação latiu outra vez quando a porta da frente se abriu e Anastasia foi para a varanda. Estava com sua armadura, o cabelo preso com peltre. Ela deslizou em direção a Call.

— Callum — disse ela. — Estou feliz que tenha enxergado a razão e decidido lutar ao lado de Alex.

— Não enxerguei a razão — respondeu Call. — Ele simplesmente me ameaçou se eu fizesse o contrário.

Anastasia piscou os olhos. Call não pôde deixar de imaginar: será que para ela não faria diferença se Alex matasse a alma de Constantine? Mas quaisquer concessões que Anastasia fizera, há tempos, a fim de aceitar as ações do filho, seu desejo de consegui-lo de volta assim mesmo, deviam lhe estar bloqueando a mente.

— Depois que a luta acabar — continuou ela —, vamos para algum lugar, vamos ressuscitar Jericho e viveremos em paz.

— Chega, Anastasia — ameaçou Alex. — Mestre Joseph tolerava esse devaneio ridículo, mas eu não. Callum não é seu filho. Não me importa o que você pensa. Call não é Constantine Madden, e todo o seu encanto por ele não fará a menor diferença. Ele não te ama.

A expressão de Anastasia imediatamente tornou-se severa. A cortina de fumaça começava a se erguer, e Call não sabia ao certo se Alex gostaria de ver o que tinha por baixo.

— Alex, seria muito bom para você se lembrar de que precisa de mim — aconselhou Anastasia. — E de meus elementais.

— E seria muito bom para *você* se lembrar de que, se deve considerar alguém como seu filho, esse alguém sou eu.

— Eu conheço a alma de Call — retrucou Anastasia, embora o menino não achasse que isso fosse verdade. — Não a sua.

O rosto de Alex se contorceu.

— Há muitas coisas acontecendo aqui — interrompeu Aaron, como se ninguém estivesse falando.

Alex o encarou, e Call olhou em volta da ilha.

Era verdade. O exército de Dominados pelo Caos tinha sido conduzido para fora do lago. Os mortos-vivos estavam em fileiras organizadas e vestiam trapos após tanto tempo submersos. Perto deles, havia elementais: cobras compridas e aeradas curvavam-se em torno das árvores, lagartos em chamas, aranhas enormes totalmente feitas de pedra. Call não viu nenhum elemental da água, mas, se havia algum, provavelmente estava no rio.

Ele olhou novamente para os magos. Teve a impressão de ter ouvido uma voz familiar antes, mas agora percebia que conhecia *várias* pessoas ali. Alguns membros da Assembleia estavam ao lado de Hugo, assim como diversos pais que ele reconhecia do Magisterium. O pai de Jasper estava lá, o que fez Call perder o fôlego.

Mas, entre a multidão, havia alguém que chocou Call mais ainda — a irmã mais velha de Tamara, Kimiya.

Kimiya, que segundos depois se jogou nos braços de Alex.

— Estou tão feliz por você estar bem — disse ela sem ar.

Até Alex pareceu surpreso.

— Kimiya?

— Kimiya, o que você está pensando? Você deveria estar do mesmo lado que suas irmãs — afirmou Call.

Ela se virou e o olhou, furiosamente.

— Ravan não é minha irmã — retrucou. — Ela foi destruída pelo fogo. Agora é um monstro. Minha melhor amiga, Jen, está morta... — Seus lábios tremeram. — Detesto a morte — anunciou. — Se Alex quer destruí-la, então ficarei a seu lado.

Alex lançou um olhar superior a Call por cima da cabeça de Kimiya.

— Vá e pegue uma arma para você, querida — instruiu ele, acariciando seus longos cabelos pretos. — Vamos lutar juntos.

Kimiya desapareceu para dentro. Alex sorriu para Call, que mal conteve o impulso de pular em cima dele e esganá-lo. Mas Alex o interrompeu, indo para perto de Call e o pegando pelas costas da camisa com a mão que não estava coberta pelo Alkahest. Hugo, a seu lado, cuidou de Aaron.

— Leais seguidores! — gritou ele, e Call e Aaron foram lançados para a frente pela escada, para o centro de um holofote brilhante que estava sendo projetado por diversos magos. — Aqui estão, Callum Hunt, a reencarnação de Constantine Madden, e sua maior conquista: Aaron Stewart, ressuscitado dos mortos!

Uma onda de vibração se ergueu. Call ouviu as pessoas gritando o nome de Aaron. Ele se sentiu tonto. Era muito parecido com a vez que Aaron foi revelado como o Makar, o herói do Magisterium, mas, ao mesmo tempo, totalmente diferente.

— E agora... — começou Alex. Mas Hugo o interrompeu.

— Mestre Strike — disse ele. — O outro lado está acenando uma bandeira branca.

— Eles se renderam? — Alex pareceu desapontado. — Já?

Hugo balançou a cabeça.

— Significa que querem conversar antes da batalha.

— Eles nos mandaram um recado. Realmente é o que desejam. Mas só com Call — disse Anastasia, parecendo tensa.

— Não — negou Alex. — Eu proíbo.

Aaron parecia pronto a discutir em seu nome, mas Call pôs a mão em seu braço.

— Ótimo — disse para Alex. — Eles provavelmente me pegariam, concluindo que o exército seria inútil sem mim.

— *Eu* estou liderando esse exército — retrucou Alex com raiva.

Call sorriu.

— Eu ainda sou o Inimigo da Morte.

Alex virou-se para Anastasia. Ele parecia petulante o suficiente para insistir.

— Por que querem conversar com Callum?

Kimiya havia reaparecido de dentro da casa, segurando um machado feito de pedra. Tinha muitos símbolos de ar e terra talhados, o que Call desconfiava que o tornava leve o bastante.

— Foi ideia de Tamara — avisou Kimiya. — Ela persuadiu nossos pais de que ele era confiável. Que sua palavra teria valor. — Ela balançou a cabeça. — Na verdade, acho que ela quer se despedir mais uma vez.

Um sorriso cruel brotou no rosto de Alex.

— Eu não sabia que estava rolando alguma coisa entre você e Tamara, Callum.

— Não é nada disso. — A voz de Call soou como um resmungo ridículo o bastante para que Aaron erguesse as sobrancelhas. Dava para perceber que Call estava mentindo.

— Eu me enganei. Você *vai*, Callum Hunt — decidiu Alex, com uma risada, evidentemente acreditando que isso deixaria Call chateado. — Você vai, e vai dizer exatamente o que eu quero que diga. Vai levar minha palavra aos magos da Assembleia, e eles vão aprender quem é o verdadeiro líder deste exército.

Call tentou parecer triste, mas suas entranhas estavam se revirando. Essa era a sua chance de ajudar a Assembleia. Mas como?

Ele respirou fundo. Precisava transmitir a eles uma ideia das forças que iriam enfrentar. Uma estimativa por alto de quantos elementais, Dominados pelo Caos e magos. Eles precisariam da informação. E de que Mestre Joseph estava morto.

— Não volte — sussurrou Aaron.

Call balançou a cabeça.

— E deixar você aqui? Nunca.

Aaron não disse mais nada. Não insistiu, não explicou.

— Eu ouvi isso — disse Alex. Todo de preto, ele parecia uma ave de rapina encarando os magos da Assembleia. — Estarei de olho para ver se está correndo para eles, Call. Observando caso queira me trair. E, se o fizer, comandarei todos os Dominados pelo Caos a atacar e não parar até o matarem.

Kimiya engasgou. Call virou-se para ver que uma linha de fogo se espalhava a partir da fila de magos da Assembleia sobre a grama vazia, em direção às forças de Alex.

A grama não queimou; o fogo pareceu navegar sobre ela, expandindo enquanto voava. Alex cerrou os olhos.

— Eles estão vindo — avisou ele. — Call, me ajude a comandar os Dominados pelo Caos...

— Não! — Kimiya colocou a mão no punho de Alex. — É Ravan.

— Ela está *atacando*!

A voz de Alex se elevou a um grito, mas Ravan já os tinha alcançado. Ela havia se transformado em uma coluna de chamas, erguendo-se da grama. Uma fumaça cinzenta e tingida com linhas laranjas de fogo surgiu...

E condensou. Tornou-se cada vez mais sólida até uma menina cinza estar diante deles. Ela era sólida e parecia real. As dobras de um vestido de fumaça esvoaçavam em torno da jovem. Seu cabelo comprido, que outrora havia sido preto, agora brilhava em prata. Seu rosto lembrava Tamara, e Call sentiu um nó por dentro.

Três dos magos ergueram um escudo gelado entre ela e as forças de Alex, mas a elemental apenas riu.

— Acompanharei Callum até o outro lado — disse ela. — Estou pacífica agora, mas, se me atacarem, queimarei a terra por um raio de um quilômetro e meio.

Será que ela realmente podia fazer isso?, Call ficou imaginando. Quão horrível essa batalha se tornaria?

— Monstra — xingou Kimiya, com a voz furiosa.

Ravan deu um sorriso torto.

— Irmã — disse ela para Kimiya, e esticou a mão para indicar que Call andasse a sua frente. — Callum. Temos que nos apressar.

Call lançou a Aaron um olhar que dizia que ele voltaria antes de desviar o escudo de gelo e seguir a irmã de Tamara pela grama.

Tudo estava assustadoramente quieto. Mal havia vento enquanto atravessavam o terreno, o que permitiu que Ravan mantivesse a forma humana. Ao se aproximarem do outro lado, Call viu que três figuras esperavam por ele. A pele negra de Mestre Rufus contrastava com a túnica verde-oliva da Assembleia. A seu lado estava Tamara, com o uniforme escolar, seu cabelo muito preto contra o branco. E ao lado de Tamara estava Jasper, seu rosto furioso enquanto observava a aproximação de Call.

Quando ele os alcançou, Ravan começou a se espalhar, e cinzas vieram em ondas. Por um instante, enquanto se dissolvia, ela olhou para Call. Seus olhos estavam laranja, cheios de chamas.

— *Não magoe minha irmã* — sussurrou. — *Ela gosta de você.*

E, então, sumiu.

Call parou diante deles: seu amigo, sua ex-namorada e seu antigo professor. Nenhum deles falou.

— Call... — começou Tamara.

— Não tenho muito tempo — interrompeu Call.

Ele não se julgava capaz de suportar o que a garota tinha a dizer. Começou a falar depressa, sem olhar diretamente para nenhum deles. Explicou mais ou menos do que consistia o exército de Alex, e o que tinha acontecido com Mestre Joseph. Enquanto falava, um dos membros da Assembleia, Graves, saiu de onde estava e foi até eles. Nunca foi muito fã de Call, e Call tentou ignorar sua presença.

À medida que Call diminuía o ritmo, a expressão de Mestre Rufus foi mudando de neutra para preocupada.

— Callum — interrompeu ele, afinal. — Está me dizendo que Mestre Joseph está *morto*? E que Alex Strike e Anastasia Tarquin estão liderando as tropas?

Call assentiu.

— Mas principalmente Alex. Olhe, eu me rendo! Eu me rendo! Isso tudo foi um grande erro. Só me prometam que nada vai acontecer a Aaron, e farei o que quiserem.

Com a menção ao nome de Aaron, todas as expressões ficaram sombrias. Graves apontou um dedo magro para ele.

— Callum Hunt, o que você fez pode ter criado uma ruptura no mundo dos magos que jamais será corrigida. Os mortos não devem voltar. Aaron precisa ser destruído, pelo bem de sua alma, se não houver nenhum outro motivo.

— É isso que você acha? — Call virou-se para Tamara.

Os olhos da menina brilhavam, como se ela estivesse contendo lágrimas, mas a voz soou firme:

— Acho que você trouxe de volta parte de Aaron, mas não ele todo. Não acredito que ele gostaria de viver assim.

*Mas e se eu estiver começando a entender o que eu fiz de errado?*, queria perguntar a ela, mas já sabia qual seria a resposta. Era tarde demais. *E se eu ainda puder consertar? Consertar Aaron?*

Call não tinha certeza se era possível. Era apenas a semente de um pensamento no fundo de sua mente. Tinha algo a ver com o corpo de Aaron, um corpo que estivera morto... O corpo do próprio Call estava vivo quando Constantine lhe transferiu a alma...

Mas o que ele estava pensando era algo que possivelmente jamais poderia ser feito.

Jamais *deveria* ser feito.

— Deixe Aaron escolher — pediu Call, olhando para o chão.

— Como se ele pudesse fazer escolhas — desdenhou Graves. — Ele consegue falar?

Tamara ruborizou. Call encarou Graves.

— Sim, ele consegue escolher fazer as coisas. Foi ele que matou Mestre Joseph, e o fez por conta própria.

Tamara perdeu o ar.

— Aaron matou Mestre Joseph?

— Sim — respondeu Call. — E ele deve poder escolher se quer viver, morrer, ou para onde vai! Eu o trouxe de volta. Devo isso a ele.

— Não tem a menor importância — retrucou Graves, embora ele parecesse abalado. — Você não pode voltar para o Magisterium.

— Então me mandem de volta ao Panóptico — sugeriu Call. — Me prendam. Mas não a Aaron.

— Você não pode voltar para nós, Callum — disse Rufus gentilmente, mas Graves o interrompeu.

— Não negociamos com você para oferecer ajuda. Nem a você e nem a seu monstro. Pedimos para conversar porque sua família e seus amigos acreditam que você possa ser persuadido a fazer a coisa certa. — Ele olhou em volta, como se não conseguisse acreditar na burrice dessas pessoas.

— A coisa certa? — repetiu Call, sem a menor certeza do que estavam sugerindo.

A única certeza que tinha era a de que não iria gostar.

— Já estivemos em guerra com as forças do Inimigo antes — prosseguiu Graves. — E sim, talvez Alex seja muito inferior, mas suas forças não. Ele é um Makar, e não temos mais nenhum Makar lutando do nosso lado.

Call abriu a boca, mas Jasper balançou a cabeça, e, pela primeira vez na vida, Call se calou. Queria que o pai estivesse presente para participar da conversa. Supunha que Alastair deveria ter pedido, mas entendia por que não o deixaram vir. Ele iria direto ao assunto e contaria o que realmente estava se passando.

— Tivemos mais traidores e desertores do que contávamos. Só existe uma maneira de acabar de uma vez por todas com isso. Você deve ser verdadeiro com o seu caos e destruir Alex Strike e a si mesmo.

Call respirou fundo.

— *O quê?* — exclamou Jasper.

Tamara explodiu em fúria.

— Não foi esse o acordo! Ele deveria destruir Mestre Joseph, e tudo seria perdoado! — Ela virou-se para olhar para Call. — Eu disse a eles que você não foi sincero quando falou que era o Inimigo da Morte, que você só disse isso para que Alex e Mestre Joseph não soubessem que você estava a nosso favor. Sei que você ressuscitou Aaron porque o ama, Call, e por nenhum outro motivo.

— Graves, isso é intolerável — disse Mestre Rufus. — Ele é uma criança. Não pode pedir para ele se destruir.

Call começou a recuar. Estava enjoado. Mestre Rufus podia discutir, mas a Assembleia já havia decidido, e a Assembleia estava no comando. Ela o queria morto. Não havia nada que pudesse fazer quanto a isso.

— Call — chamou Mestre Rufus. — Call, volte...

Mas Call já tinha partido, correndo pela grama em direção ao exército de Alex, em direção a Anastasia e aos Dominados pelo Caos. Depois de tanto tempo tentando se livrar deles, Call jamais pensou que correria para eles.

Devastação veio recebê-lo, latindo, os olhos coruscantes brilhando ao luar, como pontas de fogo. Call agarrou-se em seu pelo e correu o resto do caminho apoiando no lobo, a perna fraca doendo, assim como a cabeça.

Ele teria voltado para a casa, mas havia muitos Dominados pelo Caos e a Assembleia bloqueando sua passagem. Alex estava de pé ao lado de Kimiya e Anastasia. Ele estava sorrindo. Aaron postou-se um pouco atrás. Hugo trazia a mão em seu ombro — não era amigável, mas um alerta.

— Então, como foi, Call? — perguntou Alex. — Kimiya me contou que eles queriam que você se sacrificasse para derrotar Mestre Joseph. Ela ouviu Graves falando. É bom saber quanto o Magisterium o valoriza, não?

Call sentiu o coração despencar ainda mais. Por foi isso que Alex o deixou ir conversar. Não por confiar em Call ou por ter sido enganado por sua encenação de que estava chateado, mas por acreditar que ele não se sacrificaria.

E ele acertou. Call fugiu dos magos da Assembleia. Pensou em seu primeiro ano aprendendo magia. O final de seu poema particular. *Call quer viver.*

— Tamara — disse Kimiya. — Tamara estava bem? Ela não vai lutar, vai?

Call abriu a boca, depois a fechou novamente. Kimiya não merecia saber da irmã. Não merecia fingir se importar com Tamara quando a tinha abandonado.

— Eu tenho o Alkahest — avisou Alex, erguendo o braço. — Você luta conosco, Call, ou morre com Aaron. Agora entende isso, certo?

Call respirou fundo, tentando se recompor. Estava com vontade de gritar. Estava com vontade de chorar. Mas não podia fazer nenhuma das duas coisas.

— Sim, eles me fizeram uma proposta ofensiva. E daí? Eles já me abandonaram. — Call olhou bem para Alex, tentando transformar a raiva que sentia em confiança. — Eu já disse que não tinha para onde ir.

O sorriso de Alex oscilou.

— Que bom saber que não o fizeram mudar de ideia.

Aaron foi até ele, mas não perguntou como ele estava, não colocou a mão em seu ombro.

— Muitas pessoas vão morrer hoje, não é?

Sua pergunta não o fez soar particularmente preocupado, apenas curioso.

— Suponho que sim — respondeu Call.

Ainda parecia impossível, estúpido, mas estava acontecendo. Muitas pessoas, pessoas boas, iam se machucar. Iam morrer, como sua mãe tinha morrido.

— Você vai liderar o exército de Dominados pelo Caos do Inimigo da Morte do lado esquerdo — decidiu Alex. — Vou liderar o meu à direita. Anastasia vai comandar os elementais por cima. Hugo vai liderar os magos, que vão nos apoiar de uma distância segura. Vamos destruí-los. Você não se importa de estar na vanguarda, certo?

— É óbvio que não — respondeu Call.

Ele tinha certeza de que Alex considerava os Dominados pelo Caos de Constantine os mais descartáveis, e estava disposto a sacrificar Call na primeira oportunidade. Talvez até providenciasse um pequeno incidente.

— Aaron ficará comigo — disse Alex, tornando o cenário do "acidente" ainda mais provável.

— Não quero fazer isso — avisou Aaron, com um tom neutro que deixou Call um pouco nervoso.

— Bem, mas você vai — retrucou Alex. — Não se preocupe com Call. Ele não ficará sozinho. Devastação pode ir com ele.

Ao ouvir seu nome, o lobo Dominado pelo Caos latiu uma vez.

Call olhou para Aaron. Ele teria insistido para que seu amigo fosse junto, a não ser pelo fato de que Alex iria expor Call ao máximo perigo possível, e isso significava que o mesmo valeria para Aaron.

Ele pensou no que Graves havia lhe dito ao chamar os Dominados pelo Caos para si e comandá-los a se organizar em fileiras curtas. Pareciam um exército de soldadinhos de brinquedo, só que em tamanho aumentado e apavorantes.

Call tentava evitar aquele momento desde que descobriu que sua alma já havia pertencido a Constantine Madden. Tinha medo de se tornar o Inimigo da Morte, de ser motivo de dor e de medo e de destruição. Ele tentou fazer boas escolhas, mas, apesar de cada uma parecer boa isoladamente — bem, a *maioria* ao menos —, elas ainda o haviam levado até o momento presente.

Ele podia arrumar desculpas, mas elas não importavam. E Graves ser tão idiota também não, porque ele tinha razão. Mesmo que nada disso fosse culpa de Call, ele ainda era a pessoa que poderia corrigir a situação.

Só tinha que descobrir como.

— Vá — ordenou Alex. — Comande-os.

— Tudo bem — disse Call a seus Dominados pelo Caos. — Hora de marchar.

— Ssssim — rosnaram na língua que apenas Call entendia.

O grupo começou a se mover.

Seus pés trovejaram sobre o chão em direção ao ponto onde o exército da Assembleia ainda se reunia à beira da água. O ar acima estalava com magia elementar. Atrás deles vinham os Dominados pelo Caos de Alex e os magos.

Call jamais se sentira tão despreparado para nada na vida. É exatamente como no Julgamento de Ferro, disse a si mesmo. *Você só precisa perder.*

Ele iria se certificar de que seu lado perdesse de maneira espetacular.

## CAPÍTULO CATORZE

Era como nas fotos que Call tinha visto da última Guerra dos Magos, aquela em que Verity Torres morreu no campo de batalha, encarando Constantine Madden.

A não ser pelo fato de que agora ele *era* Verity, preparando-se para morrer. Aaron tinha falado com Call sobre seu medo de morrer no campo, como Verity, um Makar sacrificado pelo bem da Assembleia dos Magos. Mas era Call que morreria assim. Call, a quem a Assembleia odiava.

De algum modo, ele era Verity e Constantine ao mesmo tempo. Pensou em ambos ao marchar à frente dos Dominados pelo Caos, com Devastação ao lado. Conseguia ouvir seus sussurros na estranha língua morta. Estavam lhe pedindo instruções, perguntando o que ele queria.

Sua tropa se aproximava dos magos da Assembleia pelo oeste. Call conseguia ver Alex chegando pelo lado leste — Alex, que vestia a máscara de prata do Inimigo da Morte. Ela o tornava inumano, meio fantasma, meio monstro. Call ouviu Alex gritar, e viu o Alkahest brilhar em cobre enquanto Alex gesticulava para seus Dominados pelo Caos atacarem.

Eles avançaram a seu redor, assim como os traidores da Assembleia — comandados por Hugo. Apenas Aaron não se mexeu. Ele ficou onde estava, uma figura solitária e sombria, o outrora Makar esquecido, como uma pedra no meio de um rio enquanto os Dominados pelo Caos fluíam por ele.

O grupo foi ao encontro da lateral leste dos magos da Assembleia, e houve gritos. Call procurou apavorado por Tamara e Jasper, mas não conseguiu ver nenhum aluno entre os combatentes. Torceu para que tivessem sido empurrados para o fim das filas, onde estariam protegidos.

Não havia mais nenhum trecho livre entre as duas linhas de combate. Restava apenas pandemônio — o pai de Jasper trocando afiados raios de gelo com Mestre Rufus. Mestre Rockmaple, combatendo diversos Dominados pelo Caos com uma espada alquímica curva, fatiou vários corpos que, trêmulos, sucumbiram.

Envolta em fumaça, Ravan pairava no ar acima dos magos da Assembleia, trocando explosões de fogo com Anastasia que, apesar de ter a armadura parcialmente queimada de preto, estava se sustentando bem.

— Call! — Era Alex gritando furiosamente sobre as colisões da batalha. — Call, *ataque*!

Ele respirou fundo. Sabia o que tinha que fazer. Com os Dominados pelo Caos sob seu comando, o lado de Alex poderia vencer os magos da Assembleia. Sem eles, seria muito mais difícil sair vitorioso.

Call extraiu da magia do vazio; seu objetivo era impor sua vontade aos Dominados pelo Caos para que entendessem totalmente seus desejos.

— Vocês, que eu criei! — invocou-os. — *Dancem!*

Imediatamente, como um *flashmob*, eles fizeram os movimentos sincronizados que Call pediu. Chutaram as pernas e giraram, gemendo ao mesmo tempo com uma melodia que mais ninguém escutava. Jogaram as mãos para o alto. Rebolaram. Foram até o *chão*.

Foi totalmente ridículo. Tão ridículo que, por um instante, todo mundo parou. Até os elementais pareceram curiosos.

Alguns magos até riram.

Mas Alex não estava rindo. Parecia absolutamente furioso.

— Seu *idiota*! — gritou ele, voando na direção de Call. — É a última vez que você me faz de bobo!

A máscara de prata captou a luz, e Call viu ali o próprio reflexo. Então, Alex a retirou. Por baixo, seu rosto estava rubro de raiva. O Alkahest brilhou em seu braço, e Call não teve dúvida quanto ao que ele planejava.

Pelo menos, Call estava certo de que seus Dominados pelo Caos estavam ocupados, e assim continuariam por um tempo. Transmitiu magia o suficiente em seus comandos para que ficasse difícil para Alex interromper, mas isso deixou Call desgastado antes mesmo do início da luta. E, considerando que sua magia vinha se esgotando mais depressa desde que ele tinha doado parte de sua alma, derrotar Alex não seria fácil.

Mas ele não precisava sobreviver para vencer.

Utilizando seu poder, Call abriu um buraco no vazio. Dava para sentir o Caos lá dentro, frio, oleoso e pulsando com a promessa de muito poder.

Alex ergueu o braço que tinha o Alkahest e o apontou direto para Call, que tentou extrair forças do caos e jogá-las contra Alex, mas foi lento demais.

Devastação chegou primeiro.

O lobo Dominado pelo Caos pulou em Alex, mordendo seu punho coberto de metal. O raio que devia ter atingido Call atingiu o animal em seu lugar.

— Devastação! — gritou o garoto.

Mas a descarga elétrica tinha sido desferida bem no peito do lobo, erguendo seu corpo no ar. E, então, esse mesmo corpo ficou flácido, e Devastação caiu no chão.

Call parou de pensar em magia, em guerras, em tudo. Superando a dor na perna, foi para cima de Alex e deu um soco em seu rosto.

De lábio cortado e parecendo mais surpreso que qualquer coisa, Alex cambaleou. Os nós dos dedos de Call doeram. Ele nunca havia batido em ninguém antes.

Com uma careta, Alex acertou o Alkahest na têmpora de Call, derrubando-o sobre a grama. Call viu o corpo de Devastação caído no campo a uma pequena distância. O lobo não se mexia.

Ele se levantou enquanto Alex mirava o Alkahest outra vez. E, então, de repente, Aaron surgiu, arrancando-o de seu braço. Os dois lutaram, segurando em lados opostos do objeto.

— Dominados pelo Caos! — gritou Alex. — A mim!

Call foi engatinhando até Devastação e cobriu o corpo do lobo com o seu antes de invocar o caos novamente. A energia girou em torno dele, escura e cheia de promessas.

Callum o alimentou com raiva. Raiva do Mestre Joseph por tê-lo privado de fazer suas escolhas, por tê-lo sequestrado e o forçado a ser Constantine. Raiva da morte por ter levado Aaron. Por ter levado sua mãe. Por ter levado Devastação. Por tê-lo deixado com um buraco sombrio de perda no meio do peito.

Ele alimentou o caos com raiva e perda, com dor e, finalmente, com medo, o medo da própria morte, o medo do que havia do outro lado de seu sacrifício.

Ao alimentar o caos, Call sentiu energia irradiando de si. Tudo em seu corpo estava concentrado em irradiar o poder do nada. Alex gritava enquanto os fios pretos pesados o cercavam, como as curvas de uma cobra.

Call engasgou. Ele sentia a gravidade da terra puxando-o para baixo. Estava enfraquecendo. Conseguia ver Aaron sozinho no campo de batalha. Os Dominados pelo Caos ignoravam a presença de Aaron: ele não era nada para eles, não era um mago e, talvez, assim como eles, sequer estivesse vivo.

Aaron encarava Call, balançando a cabeça. Call sabia que era porque deveria estar alcançando seu contrapeso naquele momento. Mas ele não tinha um contrapeso; e, mesmo que tivesse, não sabia ao certo como fazer isso. Era magia demais. Tocava sua alma.

Alex lançou o caos contra Call em uma nuvem sufocante, que o penetrou.

Call pensou em Ravan, em como ela devia ter se sentido ao usar tanta magia do fogo que se tornou uma Devorada. E, nesse exato momento, viu Ravan voando pelo ar em uma chuva de faíscas. Não era mais humana. Ele não queria se tornar uma criatura de caos. Então, com o resto de magia que possuía, ele afastou o caos — jogou tudo de volta no vazio... com Alex. Alex lutou, enviando flechas giratórias de energia do vazio contra Call, mas o garoto foi buscar poder no fundo de sua alma.

O rosto de Alex se contorceu ao perceber o que Call fazia. Antes que pudesse sequer gritar, tinha desaparecido, fora sugado pelo vazio. Todos os Dominados pelo Caos uivaram por ele — um som demorado e terrível que pairou sobre o campo de batalha e que cessou do nada, como um brinquedo sem pilha.

Call olhou para onde Aaron estava antes, mas não o viu mais. Virou-se para tentar encontrá-lo, avistar alguém, mas sua visão estava turva e era difícil ajustar o foco por causa da tontura. Encolhendo-se, sentiu a escuridão fechar o canto de sua visão. Não tinha certeza se estava caindo no caos ou em alguma coisa mais profunda.

*Fique acordado*, ordenou a si próprio.

*Fique vivo*.

— Callum! — chamou Mestre Rufus. — Callum, você consegue me ouvir?

Ele não sabia ao certo quanto tempo havia passado.

— Call. Por favor esteja bem. Por favor.

Era Tamara, e ela soava como se tivesse chorado, o que não fazia sentido, considerando quão furiosa tinha ficado.

Call tentou falar, tentou lhe dizer que estava bem. Não conseguiu. Talvez não estivesse bem, afinal.

Abriu ligeiramente os olhos. Provavelmente muito pouco para que qualquer um notasse. Sua visão ainda estava turva, mas ele tinha razão: Tamara se inclinava sobre seu corpo, chorando. Ele queria dizer para ela não chorar, mas talvez não fosse ele o motivo das lágrimas. Talvez estivesse chateada por Devastação. Fazia mais sentido. Se Call tivesse dito que estava bem, e ela estivesse mesmo chorando por Devastação, teria sido muito constrangedor para ambos — principalmente porque ele provavelmente também começaria a chorar por causa do lobo.

— Você conseguiu — sussurrou ela. — Você salvou todo mundo. Call, por favor, por favor acorde.

Ao ouvir essas palavras, ele tentou se mexer com mais vontade, mas, mesmo assim, não conseguiu. Era como se todas as suas partes estivessem pesadas, e até abrir um olho por completo parecia uma luta contra esse peso.

— Vou contar a ele uma coisa que vai alegrá-lo. — Era a voz de Jasper do outro lado.

O garoto era um borrão de cabelo escuro em algum lugar atrás de Tamara. Se Call pudesse rosnar, ele o teria feito.

— Call, voltei com Celia. Não é ótimo?

Por um breve instante, Call cultivou a fantasia de que todos socariam Jasper por ele, mas ninguém o fez. Não era justo.

— Ele está morrendo — disse alguém. Mestre Graves, sua voz seca inconfundível. Ele não soou particularmente infeliz com a constatação. — Usou magia do caos demais para qualquer um sobreviver. Sua alma deve estar dominada pelo elemento.

Mestre Rufus virou-se lentamente, e, mesmo com dificuldade, Call pôde ver a fúria no olhar que ele lançou ao outro mago.

— Ele fez isso por sua causa — acusou. — Você provocou isso, Graves, e não pense que algum de nós vai esquecer.

Ouviu-se um som fungado de Graves, então Call escutou outra voz, mais próxima. Tamara levantou o olhar, e sua postura mudou, embora não tenha se movido nem dito nada quando a outra figura se aproximou. Alguém que Call reconheceu, apesar do borrão.

Aaron.

Aaron ajoelhou-se a seu lado. Ele colocou uma mão fria e calma no peito de Call.

— Eu posso ajudá-lo — anunciou.

— O que você vai fazer? — perguntou Tamara.

Call ficou imaginando se ela se lembrava do que tinha dito a ele: que Aaron se importava com Call por ter um pedaço de sua alma dentro de si.

Aaron era um borrão com uma auréola de cabelo claro. Sua voz soou firme, quase como o velho Aaron de antes.

— Call não pode morrer. Eu que deveria estar morto.

Tamara respirou fundo. Call lutou para arregalar os olhos, lutou para dizer alguma coisa, para impedir Aaron, mas, então, sentiu a mão do amigo pressioná-lo, e alguma coisa se moveu no fundo de seu peito.

De repente, havia ar para respirar de novo. Algo se movia dentro de suas costelas. Aaron não era mais um mago, não era Makar. E por que se dar ao trabalho? Ele queria saber como era sentir a alma de alguém piscar e morrer?

— O que você está fazendo? — sussurrou Tamara. — Por favor, não o machuque. Ele já se machucou o suficiente.

Aaron não disse nada. Call sentiu novamente, o toque profundo no peito. Sua alma ferida estava se acalmando. Era como se o senso de alguma coisa estivesse lhe sendo restaurado, algo que só agora havia se dado conta de que estava faltando.

Ele engasgou e abriu os olhos. O borrão desapareceu, e tudo ficou irradiado de luz. Seu corpo estremeceu.

— Ele está vivo — anunciou Mestre Rufus impressionado. — Call! Call, está me ouvindo?

O garoto fez que sim; a cabeça doía, mas ele não estava mais engasgando nem se sentindo tonto. Encarou Aaron.

— O que você fez?

— Devolvi sua alma — respondeu Aaron. — O pedaço que você usou para me trazer de volta. Coloquei-o de volta em você.

— Aaron — suspirou Tamara.

— Tamara — disse Aaron. — Está tudo bem.

Havia uma gentileza em sua voz que Call não ouvia desde que Aaron morrera. Call sentia como se algo estivesse expandindo no peito, algo tão grande que poderia quebrar suas costelas e fazê-lo gritar. Ele quase conseguia enxergar os fios invisíveis o conectando a Aaron; fios de alma dourados, finos como seda, entre os dois.

*E o oposto do caos é a alma humana.*

Mestre Graves estava tagarelando.

— Mas isso é impossível. Não tem como ser feito. Almas não podem ser passadas e repassadas assim, como cartas de baralho!

Call sentou-se. O campo de batalha estava coberto de fumaça. Magos andavam de um lado para o outro, apagando focos de incêndio, reunindo Dominados pelo Caos e traidores. Call viu o pai de Jasper ser levado por dois magos robustos da Assembleia, embora não tivesse visto Kimiya em lugar algum.

— Então, estou bem? — perguntou, olhando de Tamara para Aaron e para Mestre Rufus. — Nós dois estamos bem?

Mas Aaron não disse nada. Estava muito pálido e abraçava a si mesmo, como se estivesse com frio.

— Call — disse ele, sem fôlego. Seus lábios estavam azulados. — Nunca tinha que ter sido eu. Eu não sou o herói. Você é. — Impossivelmente Aaron deu um esboço torto de sorriso. — Sempre foi você.

— Aaron! — gritou Call.

Mas Aaron tinha caído entre ele e Tamara. Soluçando, ela colocou a mão no ombro de Aaron e o sacudiu, mas o garoto estava imóvel.

Call sentiu a própria alma se debater desesperadamente em direção aos fios dourados que o conectavam ao amigo. Como se a própria alma não suportasse deixar Aaron partir. Por um instante, a sensação foi tão intensa que Call achou que pudesse desmaiar novamente. Ele se concentrou em se segurar, em reunir toda a sua energia e seu poder, em puxar os fios dourados para si.

— Aaron se foi — sussurrou Tamara.

Call abriu os olhos. Aaron parecia em paz, ali deitado no chão. Talvez fosse melhor assim, talvez devesse enxergar dessa forma, mas Call estava horrorizado. A ideia de perdê-lo, e também de perder Devastação, parecia demais para suportar.

Call olhou em volta procurando seu lobo, mas não o encontrou. Não estava onde havia caído. Será que alguém movera seu corpo?

Um tremor percorreu seu corpo. Call queria o pai. Queria Alastair...

Foi quando sentiu mãos suaves tocaram seu ombro. Mestre Rufus. Não se lembrava de Mestre Rufus agindo com delicadeza, mas não tinha nada além de gentileza em seu toque. A dor no peito de Call não passava. Sua cabeça zumbia.

Havia grupos de magos percorrendo o campo, colocando os cadáveres em macas. Um deles se aproximou para levar o de Aaron.

— Cuidado com ele — pediu Call fracamente, enquanto erguiam a maca e começavam a ir. — Não o machuquem.

— Aaron não pode ser machucado — disse Mestre Rufus, suavemente. — Ele está além disso tudo, Call.

Tamara chorava baixinho nas próprias mãos. Até Jasper estava em silêncio, o rosto manchado de terra.

Call desejava se levantar e correr atrás da maca, tirar Aaron dali e trazê-lo de volta para seus amigos. O que era ridículo, porque Aaron estava morto. Morto além das habilidades que Call pudesse ter para chamar de volta sua alma, mesmo que fosse tolo o suficiente para fazer uma escolha tão terrível duas vezes. Mas Call precisava se certificar de que, daquela vez, seu amigo teria um enterro.

Mesmo que ele estivesse de volta ao presídio e não pudesse comparecer. Call pensou nas paredes de sua antiga cela no Panóptico. Não seria tão ruim voltar para lá agora. Talvez descansasse.

Então, se lembrou do estado em que deixaram o local. Bem, ele tinha certeza de que havia outros presídios para magos. Provavelmente um deles serviria.

— Tudo bem, Call — disse Mestre Rufus, como se pudesse ler os pensamentos do garoto. — Ele vai ter um enterro de herói. O nome de Aaron jamais será esquecido.

Uma sombra recaiu sobre todos eles.

— Callum, você terá que vir comigo — chamou Graves, que parecia desapontado por Call ter sobrevivido.

— Ele não vai a lugar algum — avisou Mestre Rufus. — Call salvou a todos nós e quase se sacrificou para isso. Se tentar prendê-lo, vou prender você em pedra. Callum Hunt é um herói, exatamente como Aaron disse.

— É — disse Tamara. — Encoste em Callum Hunt, e queimarei seus dedos.

Call olhou impressionado para ela. Achou que Tamara agora via que ele não era de fato mau, mas acreditou que tinha perdido sua amizade para sempre.

No entanto, lançou um sorriso sem graça para ela, mesmo com lágrimas nos olhos; Tamara sorriu de volta.

E então ouviu-se um latido vindo da multidão. Call virou-se a tempo de ver Devastação se aproximar. Jogou os braços em volta de seu pescoço e enterrou o rosto no pelo quente.

— Você está bem — sussurrou ele.

Em seguida, recuou para ter certeza. E, ao encarar Devastação, ele notou que os olhos do animal não estavam mais coruscantes. Eram de um dourado profundo e firme. O Alkahest deve tê-lo atingido, afinal, mas, em vez de o matar, tirou o caos de dentro dele. Devastação era um lobo normal agora.

Um lobo normal que lambeu a bochecha de seu dono com uma língua rosa.

Mestre Rufus e Tamara ajudaram Call a se levantar. Enquanto os magos voavam sobre o campo de batalha, apagando focos de incêndios e prendendo os últimos magos renegados, Call e seus amigos foram até Ravan, uma coluna em chamas ao lado dos outros elementais, que estava sendo preparada para o voo de volta ao Magisterium.

Já tinham quase chegado até ela quando Call ouviu. Um breve sussurro no fundo da mente. Uma voz, carinhosa, curiosa e amigável, tão familiar que pareceu cavar um buraco em seu peito. Tão familiar que ele sentiu o eco da alma tocá-lo totalmente e quase tropeçou.

*Acho que realmente voltei desta vez, Call,* disse a voz de Aaron. *Agora que diabos vamos fazer?*

# EPÍLOGO

Era um dia claro, e o sol brilhava sobre uma cidade cercada por montanhas. A cidade existia há centenas de anos; seus muros foram desgastados por chuva e neve, e exibiam um tom dourado fraco. A luz caía junto com a tarde, e o povo da cidade começava a sair para as ruas a fim de fazer as compras noturnas quando o som de uma enorme explosão cortou o céu.

No espaço entre duas montanhas, sobre um vale de grama verde, o céu parecia ter se dividido ao meio, revelando uma terrível escuridão. Era uma escuridão mais do que escuridão. Não era ausência luz, mas ausência de tudo. Era o vazio.

Os animais no vale começaram a se espalhar quando um barulho de trovão veio de dentro do vazio. Fez-se um ruído rasgado, e da escuridão veio Alex Strike, montado nas costas de um grande monstro metálico que os magos da Assembleia outrora chamaram de Automotones.

Alex não era mais humano. Tinha se tornado uma coisa que o mundo jamais havia visto antes. Tinha se tornado um Devorado do caos. Ele era o caos, e o caos vivia nele e piscava por trás de seus olhos pretos. Estalava em seus ossos, cabelo e sangue. A máscara de prata não era mais uma coisa independente. Tinha substituído seu rosto, móvel e expressiva, como suas feições haviam sido antes.

Atrás dele, um rio de elementais e animais outrora consignados ao caos. Havia lobos com olhos coruscantes, magos com olhares mortos empunhando armas, e a serpente elementar Skelmis pairava sobre ele, sibilando e chicoteando o rabo feito de ar.

Alex cavalgou Automotones até a beira do vale. Olhou para a cidade abaixo, onde as pessoas já corriam pelas ruas, feito pequenas formigas pretas assustadas.

Ele estendeu a mão, e, em sua palma, o caos se enroscou como fumaça.

Ele sorriu.

Este livro foi composto na tipologia Chaparral Pro,
em corpo 12,5/18,7, e impresso na Gráfica Leograf.